dtv

Patrick ist zehn, als er seinen Vater verliert, weil die Mutter ihm auf einer Landstraße plötzlich energisch ins Lenkrad gegriffen hatte. Sie hatte ihr Idol Albert Einstein mitten auf der Straße stehen sehen. Der Wagen prallt gegen einen Baum, der Vater stirbt, die Mutter wird in die Psychiatrie eingeliefert.

Dem Heranwachsenden gelingt es, seine Mutter ebenso aus seinem Leben auszublenden wie Einstein. Doch eines Tages stößt er bei seiner Nachbarin Susi auf jenes Poster, das den Physiker mit herausgestreckter Zunge zeigt. Er rastet aus. Kurz darauf steht Susis Freund David vor der Tür und fordert lautstark Schadenersatz für das Poster. Die Portion Spaghetti Bolognese, die Patrick ihm anbietet, markiert den Beginn einer außergewöhnlichen Freundschaft. Über David lernt Patrick Barbara kennen, die erste Frau, für die er etwas empfindet. Barbara arbeitet jedoch in der nahe gelegenen psychiatrischen Einrichtung Bethel, in der Patricks Mutter lebt. Abscheu und Faszination, Widerwillen und Sehnsucht bestimmen nun Patricks Leben, und alles wird anders ...

Que Du Luu, geboren 1973 in Cholon/Vietnam, chinesischer Abstammung, lebt seit 1976 in Deutschland. Sie studierte Germanistik und Philosophie und veröffentlichte bislang Erzählungen in verschiedenen Anthologien. ›Totalschaden‹ ist ihr erster Roman. 2007 erhielt sie den Adelbert-von-Chamisso-Förderpreis.

Que Du Luu

Totalschaden

Roman

Zum Geburtstag von
Annette !

1. 6. 2012

Deutscher Taschenbuch Verlag

Ungekürzte Ausgabe
Oktober 2008
Deutscher Taschenbuch Verlag GmbH & Co. KG,
München
www.dtv.de
© 2006 Philipp Reclam jun. GmbH & Co., Stuttgart
Umschlagkonzept: Balk & Brumshagen
Umschlaggestaltung: Wildes Blut, Atelier für Gestaltung,
Stephanie Weischer
Umschlagbilder: plainpicture/Pfenning, M.
und mauritius images (Einstein)
Druck & Bindung: Druckerei C. H. Beck, Nördlingen
Gedruckt auf säurefreiem, chlorfrei gebleichtem Papier
Printed in Germany · ISBN 978-3-423-13696-9

Je länger man vor der Tür zögert,
desto fremder wird man.

Franz Kafka, *Heimkehr*

Meine Mutter war schon immer komisch gewesen, aber niemand hatte mir geglaubt, selbst Vater nicht. Dabei kannte ich sie am allerbesten. Schließlich war ich derjenige, der den ganzen Tag mit ihr verbringen musste, und kein Mensch kann sich ständig zusammenreißen. Am wenigsten konnte das meine Mutter.

Das letzte Mal sah ich sie an meinem zehnten Geburtstag. Sie fuhr abends mit Vater in die Stadt, um mir noch schnell ein Auto mit Fernsteuerung zu kaufen.

Später erfuhr ich, dass sie Vater ins Lenkrad gegriffen hatte. Die Straße verlief an dieser Stelle in einem Bogen nach rechts, das Auto war jedoch einer unsichtbaren Linkskurve gefolgt und gegen einen Baum geprallt. Die Fahrerseite war völlig eingedrückt. Ich weiß nicht, ob Vater auf der Stelle tot war oder auf dem Weg ins Krankenhaus starb. Das war auch nicht wichtig. Tot war tot.

Meine Mutter hatte nur Nackenschmerzen. Im Rettungswagen schrie sie, Einstein hätte auf der Straße gestanden und deswegen hätte sie ins Lenkrad greifen müssen. Nachdem sie auf alle möglichen Verletzungen untersucht worden war, brachte man sie nach Bethel in die geschlossene Anstalt. Irgendwann wurde sie schließlich in den offenen Bereich verlegt.

Mehr weiß ich nicht.

Ich kannte den Namen »Bethel«. Alle Kinder kannten ihn. Bethel ist ein Stadtteil von Bielefeld und es gibt viele Irrenhäuser dort. Wenn wir uns stritten und uns die Schimpfwörter ausgingen, sagten wir mit leiser, aber fieser Stimme: »Du musst bestimmt bald nach Bethel!«

Der dicke Peter erzählte, es gäbe dort Menschen, die Helme tragen würden. Diese Helmträger kippten einfach so aus den Latschen, lägen dann auf dem Boden und zappelten. Sie hießen »Epilierer«.

Als meine Mutter eines Tages vom Einkaufen zurückkam und ich auf einem Karton genau dieses Wort las, schrie ich: »Wieso brauchst du das? Bist du auch ein Epilierer?«

Sie wusste nicht, was ich meinte, und erklärte mir, sie rasiere sich damit, aber ich glaubte ihr kein Wort. Der Rasierer von meinem Vater sah ganz anders aus und ich hatte auch noch nie Frauen mit Bärten gesehen. Ich fragte nicht weiter. Sonst hätte sie mir wieder vorgeworfen, ich sei dumm, weil ich sie nicht verstand.

Seit ich von dem Epilierer meiner Mutter wusste, beobachtete ich sie genauer. Wenn sie nicht zu Hause war, durchsuchte ich ihre Schränke. Vielleicht hatte sie sich auch heimlich einen Helm zugelegt?

Ich wartete auf ihr Hinfallen, auf ihr Zappeln. Aber sie fiel nicht. Sie beschwerte sich bei mir, dass Vater tagsüber nicht da war. Aber wenn sie abends mit Vater redete, schien sie sich zusammenzureißen.

Als ich sie einmal wegen eines Klassenausflugs ansprach, sagte sie, Einstein mache auch keine Ausflüge. Ich wusste nicht, wer dieser Einstein war, aber es war nicht ungewöhnlich, dass ich nichts von dem verstand, was sie sagte. Es war vor allem ihr Ton, der mir merkwürdig erschien.

Dann kam sie immer wieder auf diesen Einstein zu sprechen. Als sie sich wieder einmal über Vaters Abwesenheit beschwerte, warf ich ein, dass er doch arbeiten müsse.

Sie rief aufgebracht: »Arbeit? Ist Autoreparieren etwa eine Arbeit? Einstein hat wirklich gearbeitet! Er ist der Klügste! Er hat die Relativitätstheorie erfunden!«

Ich begriff so gut wie nichts, wollte aber nicht schon wieder meine dummen Fragen stellen.

Abends, als meine Mutter sich wieder einmal früh ins Bett gelegt hatte, saß ich noch mit Vater zusammen.

»Ist Einstein wirklich so klug?«

»Ja.«

Ich war beruhigt. Es hatte also doch alles Sinn und Verstand, was meine Mutter sagte. Ich war nur zu dumm, um es zu verstehen.

Meine Mutter redete mit mir wie mit einem Erwachsenen. Einmal sagte sie, sie würde sich so »ambivalent« fühlen. Ich fragte sie, was das bedeute, und sie antwortete, es sei, wie wenn man gleichzeitig nach rechts und links laufen wolle. Gleichzeitig nach rechts und nach links? Ich fragte: »Wieso? Du kannst doch auch zuerst nach rechts und dann nach links laufen.«

Aber sie sagte nur entmutigt: »Du bist dumm wie andere Kinder.«

Ich heulte nicht, wenn sie mir das sagte. Diesen Satz hörte ich ständig, und wenn man sich an etwas gewöhnt hat, gehört es einfach dazu.

Abends fragte ich Vater, was das Wort bedeute, und er sagte: »Stell dir vor, du bist müde und willst schlafen. Aber du willst dir auch einen spannenden Western anschauen, der gerade im Fernsehen …«

Ich rief dazwischen: »Beides geht nicht!«

»Genau. Dieses Gefühl nennt man ›ambivalent‹.«

»Wieso sagt man dann nicht, dass man beides will? Wieso so ein komisches Wort?«

Vater konnte ich alles fragen. Er schimpfte nie über meine dummen Fragen.

»Du bist ein kluges Kind und brauchst keine komischen Wörter. Dumme Menschen benutzen solche Wörter, weil sie denken, dass andere sie dann für klug halten.«

»Ist Mutter dumm?«

»Nein, natürlich nicht.«

Meine Mutter schlief viel. Mittags legte sie sich für eine Stunde hin. Die Stunde wurde immer länger. Es schien nicht zu helfen, sie wirkte trotzdem immer müde. Während sie schlief, durfte ich mich nicht rühren. Wenn ich durch den Flur in die Küche ging und die Tür leise schloss, wachte sie schon auf. Sie wachte auf, wenn ich die Badezimmertür zumachte, die Wohnzimmertür hinter mir zuzog, meine Zimmertür öffnete. Und jedes Mal schrie sie dann aus ihrem Zimmer: »Kinder müssen immer laut sein!«

Ich versuchte im Zimmer zu bleiben und ließ die Badezimmertür auf, wenn ich auf dem Klo saß. Aber wenn ich dann die Spülung zog, schrie sie wieder mit ihrer entmutigten Stimme: »Kinder!«

Mir kam es so vor, als wäre der ganze Tag nur ein ständiges Aufwachen für sie.

Ich lebte nach dem Unfall bei den Willmers, der jüngeren Schwester meiner Mutter, ihrem Mann und den zwei Kindern. Sie wohnten auch in Bielefeld, aber ich hatte sie zuvor nie gesehen. Meine Mutter hasste ihre Schwester. Ob ihre Schwester sie auch hasste, wusste ich nicht. Sie war die einzige Verwandte meiner Mutter.

Die Willmers bekamen Geld von der Unfallversicherung. Die Versicherung hatte sich zuerst vor einer Auszahlung gedrückt, weil sie behauptete, es sei gar kein richtiger Unfall gewesen. In ihren tausend Klauseln waren Unfälle durch Alkohol oder Straßenrennen von der Zahlung ausgenommen. Es gab aber keine Ausnahmeklausel für verrückte Beifahrer, die ins Lenkrad griffen, um Einstein zu retten. Die Versicherung musste zahlen.

Die Schwester meiner Mutter hieß Anne und meine Mitschüler hatten ihren Spaß daran, »Patrick hat eine Amme und die heißt Anne!« zu rufen. Dabei wusste ich damals noch gar nicht, was eine Amme war.

Die Schwester meiner Mutter hatte hellere Haare als meine Mutter. Aber im Gesicht und von der Figur her sah sie ihr ähnlich.

Das Haus der Willmers war sehr klein, deswegen bekam ich ein Zimmer unterm Dach. Die Bodentreppe war so steil wie eine Wand. Ich kam zwar ohne Probleme hoch, aber wenn ich oben war und in die Tiefe schaute, traute ich mich nicht mehr hinunter. Die Schwester meiner Mutter sagte: »Stell dich nicht so an. Daran gewöhnst du dich schon.«

Die Schwester meiner Mutter konnte auch lachen und herumalbern und sie wusste, wie Kinder so sind. Sie redete so mit mir, dass ich sie auch verstand. Aber manchmal erinnerte sie mich doch an meine Mutter.

Auch sie hatte einen leichten Schlaf. Sie hielt zwar keinen Mittagsschlaf, aber wenn ich nachts durch das Haus ging, musste ich alle Türen in Zeitlupe schließen. Trotzdem hörte ich manchmal, wie das massive Holz des Ehebettes knarrte, als sei sie gerade wach geworden und hätte sich mürrisch auf die andere Seite gedreht. Dann fühlte ich mich wie im dunklen Flur meiner Eltern und wartete auf das Rufen einer entmutigten Stimme.

Einmal im Jahr ging sie meine Mutter besuchen. Jedes Mal im April, am Geburtstag meiner Mutter. Sie sagte: »Ich geh zu deiner Mutter, soll ich ihr etwas ausrichten«, aber da gab es nichts auszurichten. Hinterher erzählte sie mir nie, wie ihr Besuch verlaufen war, denn ich wollte es nicht hören.

Manchmal kam die Schwester meiner Mutter auch rauf und sagte, dass ein Betreuer vom Sonnenhof am Telefon sei und dass meine Mutter mit mir sprechen wolle. Aber ich sagte immer, dass *ich* nicht wolle. Diese Anrufe kamen immer zu Weihnachten, Ostern und an meinem Geburtstag.

Ich hatte mich nie mit den Willmers gestritten; ich war immer freundlich zu ihnen. Aber nur zu Fremden ist man immer freundlich. Man muss miteinander vertraut sein, um sich richtig zu streiten. Mit meinem Freund Tomate hatte ich mich oft gestritten.

Seinen Spitznamen hatte er Hänseleien wegen seiner Hornbrille zu verdanken: »Thorsten hat Tomaten auf den Augen! Thorsten mit Tomaten!«

Ich sprach ihn irgendwann auch mal mit »Tomate« an. Als er mich eingeschnappt anschaute, sagte ich, das sei ein Lob, schließlich würde ich für mein Leben gern Ketchup essen. Seitdem durfte ich ihn so nennen. Tomate war Außenseiter wegen seiner schlechten Augen. Ich hingegen hatte keine Besonderheiten. Ich war weder dick noch brauchte ich eine Brille. Trotzdem gehörte ich in die Kategorie »Tomate«.

Tomate und ich wurden dicke Freunde, denn das Elend liebt Gesellschaft.

Ich hatte Zivildienst im Krankenhaus gemacht, weil im Wohnheim des Städtischen Krankenhauses noch Appartements frei gewesen waren. So konnte ich gleich nach der Schulzeit aus dem Haus der Willmers ausziehen. Auch während des Studiums durfte ich weiterhin dort wohnen, weil ich einmal in der Woche im Sterilisationslager jobbte.

Als ich endlich meine eigene Wohnung hatte, ging ich lange Zeit nicht nach draußen, außer zum Einkaufen. Ich war froh über meine gewonnene Freiheit. Es konnte niemand plötzlich in mein Zimmer kommen. Ich musste nicht immer freundlich sein. Ich konnte nachts duschen, musste nicht auf Zehenspitzen ins Bad schleichen und die Türen in Zeitlupe schließen. Ich musste nicht reden, wenn ich nicht wollte, und wenn ich reden wollte, griff ich zum Telefon und rief Tomate an.

Irgendwann klopfte es an meiner Tür. Es war eine von den Schwesternschülerinnen. Sie wohnte einige Zimmer weiter und fragte nach meinem Staubsauger.

»Klar«, sagte ich.

Ihre zwei seitlich geflochtenen Zöpfe ließen sie wie ein Kind aussehen. Deshalb trug ich ihr den Staubsauger ins Zimmer. Sie schloss fröhlich die Tür auf und ließ mich hinein. Das ist ein guter Tag, dachte ich und schaute in ein freundliches Zimmer. Dann sah ich das große Poster über ihrem Bett. Ich hatte das Gefühl, in in ein verdorbenes Fischbrötchen zu beißen. Instinktiv spuckte ich aus und die Schwesternschülerin verlor auf einmal ihre Gretel-Unschuld, verwandelte sich in eine Hexe und schrie mich an, ich sei ein Schwein. Sie schrie, ich solle meine Spucke von ihrem Teppich wischen. Sie schrie immer weiter. Den Rest habe ich nicht mehr verstanden. Albert Einstein streckte mir seine Zunge entgegen.

Ich stieg aufs Bett, riss das verdammte Poster herunter und knüllte es zusammen. Dann sprang ich vom Bett, öffnete das Fenster, schmiss die verdammte Papierkugel raus und schloss das Fenster wieder.

Die Hexe schrie die ganze Zeit den gleichen Satz: »Du spinnst!«

Und ich dachte, ja, du hast Recht, aber schrei doch endlich mal was anderes. Ich fragte: »Soll ich den Staubsauger hier lassen?«

Aber sie schrie nur wieder: »Du spinnst!«, also nahm ich ihn wieder mit.

Zurück im Zimmer griff ich zum Telefonhörer und wählte Tomates Nummer.

Tomate war wegen seiner Augen ausgemustert worden und durfte schon ein Jahr vor mir mit dem Studium anfangen. Deswegen war er schon fertig und hatte jetzt eine Referendarstelle in Frankfurt bekommen. Die Anwaltskanzlei war ziemlich bekannt. Ich wollte nicht Rechtsanwalt werden. Ich studierte Jura nur, weil mir nichts Besseres eingefallen war.

Ein gleichmäßiges Tüten. Es meldete sich keiner. Auch sein Anrufbeantworter lief nicht. Aber was wollte ich auch mit ihm besprechen? Früher hatten wir nur über arrogante

Mitschüler gesprochen. Als wir älter wurden, redeten wir über Filme. Jetzt waren wir noch älter und er redete nur noch über Jura. Das war noch belangloser als über eingebildete Mitschüler herzuziehen. Ich konnte Tomate nicht erzählen, dass ich ein fremdes Poster zerknüllt hatte, nur weil meine Mutter vor einer Ewigkeit Einstein auf der Straße gesehen hatte. Ich legte wieder auf und sah auf die Uhr. Es war erst sieben, die Geschäfte hatten noch auf.

Ich fuhr mit der Straßenbahn in die Stadt, streifte durch die Kaufhäuser ohne zu wissen, was ich überhaupt wollte. Bei Karstadt stellte ich mich vor die Wühltische und schaufelte Bücher von unten nach oben, obwohl ich gar kein Buch wollte. Es sah so aus, als wüsste ich, wonach ich suchte, und während ich so wühlte, kam ich mir auch so vor: ein Suchender, der weiß, wonach er sucht.

Ich bemerkte eine ältere Frau, die mir wohl schon länger zuschaute.

»Gibt es noch Rosamunde-Pilcher-Bücher da unten?«, fragte sie.

»Ich weiß nicht, ich schau mal.«

Ich wühlte weiter. Aber ich fand keine.

»Was suchen *Sie* denn?«, fragte sie mich.

»Stephen King.« Es fiel mir kein besserer Autor ein.

»Oh!«, rief sie aus, griff in eine Ecke des Wühltisches und hielt mir stolz zwei King-Bücher entgegen: *Sie* und *Friedhof der Kuscheltiere*. Ich nahm die Bücher entgegen, sagte brav: »Danke« und ging damit zur Kasse. Als ich bezahlte, kam die Schwester meiner Mutter mit zwei Plastiktüten aus der Parfüm-Abteilung.

»Hallo Patrick, seit wann liest du Bücher?«

»Seit längerem.«

Die Schwester meiner Mutter sah müde aus. Ich wusste nichts zu sagen.

»Ich wollte schon immer mal zum Kaffee kommen«, sagte ich.

Das Kaufhaus leerte sich, die Ladenschlusszeit rückte näher.

»Das wär schön, Patrick. Aber ich lege mich jetzt nachmittags immer ein Stündchen hin. Komm doch mal lieber zum Abendessen.«

Ihre Stimme klang entmutigt und ich musste an den dunklen Flur bei meinen Eltern denken. An den Epilierer meiner Mutter. Anne war die Schwester meiner Mutter und das würde sich nie ändern. Die Ähnlichkeit nahm sogar zu.

»Ich muss noch was kaufen, bevor sie zumachen«, sagte ich. »Ich ruf mal an.«

Sie rief mir nur ein »Bis bald!« hinterher, denn ich stand schon auf der Rolltreppe nach oben, obwohl die Stimme vom Band sagte, dass man sich jetzt zu den Ausgängen begeben solle. Dann wünschte die monotone Stimme allen Kunden noch einen schönen Abend.

Ich stand in der Kochecke meines Appartements und kochte so viel Spaghetti wie für eine sechsköpfige Familie. Die Bolognese-Soße war schon fertig und musste nur noch warm gehalten werden, bis die Spaghetti al dente waren. Der geraspelte Käse lag in einem Riesenhaufen auf einem Teller, er hätte für vier Bleche Pizza gereicht.

Manchmal fühlt man sich gut, wenn der Magen überfüllt ist und das ganze Blut dorthin läuft anstatt in den Kopf.

Es klopfte fordernd an meiner Tür.

Ich öffnete und vor mir stand ein Typ, der mich fast um einen Kopf überragte. Dabei war ich recht groß.

Der Typ hatte mittellange Haare, sein Kopf war klein. Er sah mich an wie ein aggressiver Dackel. Ich hatte keine Ahnung, was er wollte, also bat ich ihn auch nicht herein. Der Dackel war mir offensichtlich nicht freundlich gesinnt. Ich schaute ihn fragend an.

»Du hast meiner Freundin das Poster von der Wand gerissen und ihr auf den Teppich gespuckt!«, kläffte er.

Ach, das war es. Ich dachte kurz nach.

»Was kostet das Poster?«

»Acht Euro. Aber das ist nicht alles! Du bist auf ihr Bett gesprungen und hast ihr Angst eingejagt!«, schnauzte er weiter.

Ich dachte an die Hexe und ihr Geschrei. Ich hätte vor *ihr* Angst haben müssen. Der langbeinige Dackel war also ihr Freund und wollte Rache. Was tun? Er hatte gute Gründe, mir eine runterzuhauen. Ich hatte aber auch Gründe gehabt, das Poster abzureißen und auf den Teppich zu spucken.

»Was sollte das alles!«, herrschte er mich an.

»Ich hasse Einstein nun mal.«

Das Dackelgesicht sah mich erst ungläubig, dann unschlüssig an. Langsam zogen sich seine Lippen in die Breite und die Mundwinkel gingen nach oben. Der Typ schmunzelte und ich schmunzelte mit.

Mir fielen die Spaghetti ein. Sie mussten jetzt schon mehr als al dente sein.

»Ich muss schnell die Spaghetti aus dem Topf holen.«

Er kam rein und sah mir zu, wie ich die Nudeln in das Sieb schüttete.

»Für wen hast du denn alles gekocht?«, fragte er beim Anblick der Menge.

»Hast du Hunger?«, fragte ich zurück.

Er druckste ein wenig herum. Er war gekommen, um mir eine runterzuhauen, und jetzt sollte er mit mir am Tisch sitzen und Spaghetti essen?

»Meine Bolognese-Soße ist der Hit.«

Das überzeugte ihn, denn er hatte Hunger. Er hatte schon die ganze Zeit auf den geriebenen Parmesankäse gestiert.

»Wieso nicht«, sagte er geschlagen und ich drückte ihm sofort einen Teller in die Hand.

Ich lud uns jeweils einen großen Berg Nudeln auf die Teller, mit jeweils zwei Kellen Soße und einer dicken Schicht Parmesan. Es schien ihm zu schmecken, denn er verschlang die Nudeln wie der ausgehungerte Terence Hill die legendäre Bohnenpfanne in *Die rechte und die linke Hand des Teufels*.

»Noch einen Teller?«

Aber er druckste schon wieder herum wie ein Kind, das zu schüchtern ist, um sich bei fremden Leuten den Bauch voll zu schlagen.

»Was übrig bleibt, kommt sowieso weg«, behauptete ich.

Der Rest wäre am nächsten Tag wirklich weggekommen. Nicht weil er in den Mülleimer gewandert wäre, sondern in meinen Magen.

»Wär ja schade drum«, sagte er.

Also lud ich ihm noch einen Berg auf seinen Teller.

»Susie hat schon gegessen. Ich wollte mir grade eine Pizza bestellen«, rechtfertigte er seinen Appetit. »Ich hab noch nie so eine gute Bolognese-Soße gegessen.«

»Ich bin Patrick«, stellte ich mich vor.

»David«, sagte er.

Nach dem Essen kramte ich acht Euro heraus und legte sie ihm hin.

»Du kannst auch den Staubsauger gleich mitnehmen. Deine Freundin wollte doch saugen.«

»Du bist ja gar nicht so ein Spinner, wieso hast du das eigentlich gemacht?«

»Das ist eine lange Geschichte. Willst du einen Espresso?« Er nickte. Ich stellte mir vor, wie seine Hexen-Freundin wieder herumschreien würde, wenn er anschließend mit meinem Staubsauger zurückkäme und ihr erklärte, dass er so lange geblieben war, nicht um mir die Leviten zu lesen, sondern um mit mir an einem Tisch zu sitzen und friedlich zu mampfen.

Er fragte: »Bist du nicht etwas zu alt für einen Zivi?«

»Ich war bis vor vier Jahren Zivi. Jetzt studiere ich Jura und darf immer noch hier wohnen, weil ich einmal in der Woche im Steri jobbe.«

Der schwarze Espresso lief aus den Düsen in die zwei kleinen Tassen hinein.

»Willst du Zucker oder Milch zum Espresso?«

»Beides«, sagte er.

Ich selbst nahm nur Milch dazu. Eigentlich trinkt man Espresso mit Zucker ohne Milch, aber so schmeckt es besser. Ich habe keinen Stil, aber Geschmack.

Im Kühlschrank fand ich noch zwei Becher Früchtequark als Nachtisch.

»Was machst *du* denn so?«, fragte ich ihn, mit dem Löffel im Quark rührend.

»Ich studiere auch. Aber nicht Jura, sondern Physik.«

Ich sah ihn an. Wieder das Gefühl von verdorbenem Fischbrötchen. Aber diesmal spuckte ich nicht aus. Er sah Einstein in keiner Weise ähnlich und streckte auch nicht die Zunge raus.

»Dann hast *du* ihr wohl das Poster geschenkt?«

»Nein, für so was bin ich zu alt.«

Er schaute sich in meinem Zimmer um und löffelte seinen Erdbeerquark, während er die Beine von sich streckte. Er fühlte sich anscheinend wohl und hatte offensichtlich nicht vor, so schnell wieder zu gehen.

»Und von mir will sie sich keine Fotos aufhängen. Wenn sie wütend ist, sagt sie manchmal, ich sähe aus wie eine Bulldogge.«

»Ich finde, du siehst eher aus wie ein …«, ich hielt inne, »… deine Freundin ist komisch.«

»Ich mach mich dann mal auf. Susie wartet bestimmt schon.«

Er stand auf.

Ich zeigte auf die acht Euro.

»Die kannst du behalten«, sagte er abwehrend. »Eine Pizza hätte auch so viel gekostet.«

Den Staubsauger nahm er aber mit und versprach, ihn irgendwann wieder vor meiner Tür abzustellen.

Ich hatte seit einer Woche Grippe. Wenn ich schlief, träumte ich nur wirres Zeug: von knorrigen Bäumen, die mir hinterherrannten, und von kaputten Telefontasten.

Und wenn ich wach war, lag ich im Bett, starrte ins düstere Zimmer und konnte nicht aufhören zu denken. Ich wusste, dass meine Mutter seit Jahren im »Sonnenhof«, einer Einrichtung in Bethel, lebte. Von dort waren immer die Anrufe gekommen, als ich noch bei den Willmers gewohnt hatte. War sie noch verrückter geworden? Sah sie immer noch den verdammten Einstein?

Ich dachte an die Schwester meiner Mutter. Ich war der Sohn meiner Mutter. Wer waren meine Großeltern? Waren sie beide verrückt gewesen oder nur einer von ihnen? War es nicht allein der Fluch der gemeinsamen Gene, der einen verrückt machte? Wen würde die Schwester meiner Mutter bald auf der Straße sehen? Gandhi oder Mickey Mouse? Sollte ich Hartward, ihren mürrischen Mann, davor warnen, mit ihr Auto zu fahren?

Hatte sie nicht gesagt, dass sie sich jetzt nachmittags auch immer hinlegte? Außerdem sah sie inzwischen genauso abgezehrt wie meine Mutter aus. Sie hatte die Gene meiner Mutter. Und ich auch.

Ich hatte Kopfschmerzen, Gliederschmerzen, Halsschmerzen. Ich griff zum Telefon.

»Willmer«, meldete sich die Schwester meiner Mutter.

»Hier ist Patrick. Rasierst du dir die Beine?«

Schweigen.

»Was soll dieser Unsinn!«

»Ich muss es wissen. Hast du ein Epiliergerät?«

Eigentlich wollte ich sie fragen, ob sie langsam verrückt wurde, aber das traute ich mich dann doch nicht.

»Bist du verrückt geworden?«, fragte sie mich.

»Es klingt komisch, aber sag es mir doch bitte.«

»Du kannst wieder anrufen, wenn du wieder ganz bei Trost bist!«

»Was meinst du damit?«, fragte ich überflüssigerweise.

»Wenn du nicht mehr so dumme Fragen stellst!«, meckerte sie, als sei ich ein kleines Kind, und legte auf.

Mir war es egal, ob sie ein Epiliergerät hatte. Ich wollte nur wissen, ob sie wie meine Mutter wurde. Meine Mutter hatte immer gesagt, ich sei dumm. Ihre Schwester sagte, ich würde dumme Fragen stellen. Sie wirkte genauso genervt, genauso entmutigt. Es fehlte nur der Satz »Kinder müssen immer laut sein!«

Ich stellte mich vor den Spiegel am Kleiderschrank. Hatte ich auch irgendeine Ähnlichkeit mit meiner Mutter? Ein abgezehrtes Gesicht starrte mich entmutigt an.

Es klopfte an meiner Tür, aber ich hatte einen Schlafanzug mit Elefantenmuster an. Also verhielt ich mich leise. Es klopfte immer wieder.

Gibt es denn wirklich Menschen, die so aufdringlich sein können?, dachte ich.

Als Antwort kam ein erneutes Klopfen. Alle vorgetäuschte Stille half nichts. Ich schlurfte zur Tür und öffnete.

Das Dackelgesicht sah mich mit großen Augen an.

»Wie siehst du denn aus?«

In den Händen hielt er meinen Staubsauger.

»Hab seit einer Woche Grippe.«

»Dann hab ich dich wohl aus dem Bett geklingelt.«

»Nö, komm rein.«

Er stellte den Staubsauger ab und erklärte dabei: »Ich wollte den nur vorbeibringen.«

Ich nahm den Wasserkocher und hielt ihn unter den Wasserhahn.

»Willst du auch einen Tee?«

»Wenn du sowieso einen kochst«, antwortete er und ließ sich wie selbstverständlich am Tisch nieder. Er sah die

22

Streichhölzer und zündete das Teelicht für das Stövchen an. Dann verschränkte er die Arme hinter seinem Kopf.

»Ist schwarzer Tee in Ordnung?«

»Wieso nicht«, sagte er, »ich mag keinen grünen Tee.«

»Ich auch nicht.«

»Hat sich deine Freundin gewundert, dass du neulich so lange weggeblieben bist?«

»Ja«, sagte er, »aber egal. Jetzt hat sie sich schon wieder beruhigt.«

Wieso »schon«?, dachte ich. Sie hatte also eine ganze Woche lang herumgetobt?

»Was macht dein Physik-Studium?«

»Geht so. Vielleicht hätte ich was anderes studieren sollen.« David hielt seine Tasse Tee in beiden Händen und schaute in die trübe Flüssigkeit, als könnte man aus ihr Ideen fischen.

»Wie findest du Einstein?«, fragte ich aus heiterem Himmel.

»Wie soll ich den schon finden?«

»Nehmt ihr ihn nicht durch?«

»Du willst, dass ich dir seine Theorien erkläre?«

Wieso musste ich von mir aus auf diesen verdammten Einstein zu sprechen kommen? Ich hasste seine Theorie, obwohl sie mir viel zu hoch war.

»Meine Schwester kennt sogar eine Frau, die ständig mit Einstein spricht«, sagte David schmunzelnd.

Was!, dachte ich. Wollte er mich veräppeln? Konnte er meine Gedanken lesen? Oder hatte meine Mutter ihn geschickt? Etliche Hirngespinste gingen mir durch meinen Kopf. So ein Blödsinn, beruhigte ich mich dann wieder. Es musste etwas anderes sein. Es konnte nichts mit meiner Mutter zu tun haben.

Ich fragte: »Und wer ist diese Frau?«

»Den Namen weiß ich nicht. Meine Schwester arbeitet in Bethel.«

»Im Sonnenhof.«

»Woher weißt du das?« Seine Stimme hob sich vor Überraschung. »Kennst du Barbara?«

Ich starrte in meinen Tee und hoffte, dass jetzt nicht Einsteins Zunge an die Oberfläche schwamm.

»Kennst du Barbara etwa?«, wiederholte er seine Frage.

»Nein.«

»Kennst du etwa die Frau?«

»Willst du noch Tee?«

Er nickte und ich goss nach.

»Ist deine Schwester Psychologin?«, fragte ich, nur um etwas zu sagen.

»Nein, Erzieherin. Sie arbeitet im Langzeitbereich. Vorher war sie in einer geschlossenen Abteilung, das war ihr aber dann doch zu stressig.«

»Ich muss neuen Tee kochen«, sagte ich, obwohl die Kanne noch halb voll war. Ich nahm die Kanne, stand auf, ging zur Spüle und kippte den Rest weg. In den Wasserkocher ließ ich neues, kaltes Wasser. Ich öffnete meinen Vorratsschrank, wühlte darin herum und fand glücklicherweise eine Packung Schokokekse.

Als ich wieder am Tisch war, hüpfte David fast auf.

»Bei dir bekommt man auch immer was zu essen!«, rief er freudig aus und griff zu.

»Willst du auch einen Gin Tonic?«, kam es mir plötzlich in den Sinn.

David machte große Augen. Ein krasser Wechsel von Tee auf Gin Tonic?

»Wie...so nich?«, sagte er dann mit einem Mund voller Schokokekse.

Während ich wieder zur Spüle schlurfte, dachte ich darüber nach, dass dies eine beschissene Idee war. Eine Woche lang hatte ich mich vorbildlich nur von Zwieback und Suppe ernährt, und jetzt dieses Teufelszeug.

Ich schenkte uns ein.

»Ich übernachte heute sowieso hier bei Susie. Also kann ich auch was trinken«, sagte David.

Ich dachte, zwar werde *ich* die Kotzeritis kriegen, aber *dich* wird die Gretel-Hexe eine Woche lang anschreien, wenn du blau vom Feind zurückkehrst. Bei diesem Gedanken hatte ich fast mehr Mitleid mit ihm als mit mir selbst.

»Lange keinen Gin Tonic mehr getrunken«, sagte David, »aber ist das denn gut bei deiner Grippe?«

»Klar ist das gut.«

Wir hoben unsere Gläser. »Auf was sollen wir anstoßen?«, fragte ich.

»Auf die Bolognese-Soße!«, kam es wie aus der Pistole geschossen.

Ich merkte schnell, wie der Alkohol in meinen Kopf drang. Außer den Schokokeksen hatte ich an diesem Tag noch nichts gegessen. Ich trank auch gar keinen Gin Tonic, sondern Gin mit einem Schuss Tonic. Trotzdem füllte ich mein Glas sofort nach. David hatte seins noch gar nicht ausgetrunken.

»Du bist aber schnell«, stellte er nur fest.

Wir stießen wieder an.

»Auf Einstein«, sagte David diesmal.

Ist egal, dachte ich, dann halt auf diesen verdammten Einstein.

»Kennst du nun die Frau aus dem Sonnenhof?«, fragte David noch mal.

Ich sah auf mein Glas und leerte es in zwei langen Zügen. »Sie ist meine Mutter.«

David stellte das Glas ab, sah auf die Teekerze, beobachtete die fröhlichen Elefanten auf meinem Schlafanzug.

Er hatte mich dazu gebracht, wieder »Mutter« zu sagen. Mehr noch: meine Mutter zu identifizieren. Die Gleichung auszusprechen: Sie ist meine Mutter. Die Frau, die im Sonnenhof lebt und Einstein sieht, ist meine Mutter.

Ich dachte an Davids Schwester und stellte mir einen weiblichen Dackel in Uniform vor und musste gackern wie ein Hahn. Ich dachte, wie kann ich gackern wie ein Hahn, wo ich doch nie der Hahn im Korb gewesen bin. Das führte zu weiterem Gegackere. Auf dem Tisch standen zwei leere Gläser, die ich wieder auffüllte, während ich immer noch gackerte.

David schob sich noch mehr Schokokekse in den Mund und verzog keine Miene. Er wusste ja noch nicht mal, worüber ich gackerte.

»Und? Gehst du sie immer besuchen?«, fragte er.

Wie sollte ich aufhören zu gackern bei dieser Frage?

Er hob sein Glas und sagte: »Auf deine Mutter!«

Das war zu viel. So viel Alkohol konnte ich gar nicht trinken!

Aber er hatte die Worte schon ausgesprochen, und in meiner Trunkenheit glaubte ich, dass ihr der Gin in den Gläsern schon geweiht war. Ich öffnete das Fenster, goss den Gin weg, setzte das Glas klackend wieder ab und schloss das Fenster.

»Ich trinke trotzdem auf deine Mutter. Ich kenne sie ja schließlich nicht.« Er klang wie ein trotziges Kind.

»Du trinkst nicht auf meine verdammte Mutter!«

Er sah mich an. Und ich hatte verdammt viel Lust, ihm endlich zu sagen, dass er ein Dackelgesicht hatte, dass Gretel eine Hexe war, dass ich Physiker hasste, dass ich meine Mutter hasste.

Er hob das Glas.

Ich wiederholte: »Verdammt noch mal, du trinkst nicht auf meine verdammte Mutter!«

Wenn er jetzt ein richtiger Dackel wäre, würde er den Schwanz einziehen, dachte ich, und als ich mir das bildlich vorstellte, musste ich wieder gackern, bis mir die Tränen kamen.

David sprintete mit seinem Glas ins Bad. Der halbe Gin schwappte dabei auf den Teppich.

Ich rannte hinterher, aber er hatte die Tür schon abgeschlossen. Mir schwante nichts Gutes. Ich legte mein Ohr an die Tür, hörte aber nichts. Ich linste durchs Schlüsselloch, aber dort steckte natürlich der Schlüssel. Ich hämmerte gegen die Tür.

»Was machst du da drin?«

»Ich trinke auf deine Mutter.«

Was ging ihn denn das alles an? Er hatte wahrscheinlich eine Mutter, die noch alle Tassen im Schrank hatte. Er konnte gut reden.

»Wieso soll ich nicht auf sie trinken? Nur weil sie Einstein kennt?«, redete er weiter.

»Ich hasse sie, hörst du! Du kennst sie doch gar nicht!«

Ich hörte, wie er glucksend den Gin trank.

»Du spinnst doch!«, brüllte ich.

»Du auch!«, kam es durch die Tür zurück.

»Du Dackelgesicht! Deine Freundin ist nicht Gretel, sie ist eine verdammte Hexe!«

Er antwortete nicht. Ich versuchte noch mal durchs Schlüsselloch zu linsen, aber der Schlüssel steckte natürlich immer noch. Mir wurde schwindelig. Etwas stieg meinen Hals hoch.

»Mach auf! Ich muss kotzen!«

Die Tür öffnete sich und ich lief schnurstracks zur Toilette, beugte mich über die Schüssel und kotzte den Gin und halbverdaute Kekse mit Schokostücken aus. Nach dem ersten Schwall kam noch ein zweiter und ein dritter.

Als ich mich ausgekotzt hatte, setzte ich mich auf den Boden und lehnte mich gegen die Duschwanne. David stand neben der Tür. In der Hand hielt er ein leeres Glas. Ich hatte einen sauren Geschmack im Mund. Ich ging zum Waschbecken und spülte ihn aus.

»Ich koche einen Kamillentee. Willst du auch einen?«, fragte ich dann.

»Ja, wieso nicht.«

Ich ging ins Zimmer und setzte Wasser auf.

Am Tisch fragte ich: »Ist das erblich? Geisteskrankheiten?«

»Kann sein. Es wird ja viel vererbt. Ich hab mal gelesen, dass sogar Alkoholismus vererbt wird.«

»Glaubst du, ich werde genauso verrückt wie meine Mutter?«

Da war es raus. Ich goss dampfenden Tee in die Becher.

»Ach, weiß nicht. Ich bin ja nicht vom Fach.«

David wirkte gar nicht betrunken. Er schien viel zu vertragen. Aber konnte sich ein nüchterner Mensch im Bad einschließen, um auf meine Mutter zu trinken?

Ich starrte auf seinen grünen Pullover.

»Ich hab ihre Gene. Ich werde genauso verrückt«, sagte ich und wunderte mich, diesen Satz aus meinem Mund zu hören.

David schaute mich an wie ein treuer Dackel.

»Du musst dich mal bei Fachleuten schlau machen«, sagte er mit einer auffällig sanften Stimme, als wäre ich schon bescheuert.

»Wieso soll ich das tun! Meinst du etwa …«

Das Telefon klingelte. Ich dachte automatisch an meine Mutter.

»Ja?«

»Hi, ich bins.«

Es war Tomate.

»Dich gibts noch?«, herrschte ich ihn an. »Gehst nicht ans Telefon …«

Er rief mich immer zu den unmöglichsten Zeiten an, weil er wusste, dass ich allein wohnte und nachts nie Besuch hatte.

»Ich war nicht da.«

»Zwei Wochen lang?«, fragte ich.

»Ich hab eine Freundin.«

Wie konnte das sein? In der Schule war er immer in irgendwelche Mädchen verknallt gewesen, aber die gingen mit cooleren Typen. Im Studium hatte er immer hübschen Studentinnen geholfen. Aber wenn er ihnen die Arbeiten geschrieben hatte, servierten sie ihn ab. Er drückte das anders aus: »Die Soundso hat grade keine Zeit für mich.« Ich erklärte ihm: »Keine Zeit für jemanden haben bedeutet, ihn abservieren, Mann!«, und ich sprach aus Erfahrung. Die Mädchen hatten mir immer dieselbe Abfuhr ins Gesicht geklatscht.

»Das ist ein Witz«, sagte ich.

»Nein.«

»Du meinst, du bist nur mit ihr befreundet. Du würdest sie deinen Eltern nicht mit ›Das ist meine Freundin‹ vorstellen.«

»Doch.«

Ich wollte Gin in mein Glas gießen, aber ich spürte immer noch den säuerlichen Geschmack im Mund. Außerdem war kein Gin mehr in der Flasche.

Ich nahm die Tasse, aber der Tee war noch zu heiß.

Ich stand mit dem Telefon auf.

»Wie kann das sein?«

»Wieso soll das nicht sein können?«

»Ist ja schon gut, ich meine ... weil du nie eine abgekriegt hast.«

»Besten Dank!«, sagte er beleidigt. »Irgendwann wirds doch mal Zeit, oder? Außerdem hast *du* bisher auch noch ›keine abgekriegt‹, soviel ich weiß!«

»Reg dich ab, Tomate.«

Ich hatte wirklich keine gute Laune. Als Tomates Freund hätte ich mich für ihn freuen müssen – aber ich freute mich überhaupt nicht. Wenn man keine abbekommt, fühlt man sich besser, wenn es anderen auch so ergeht. Eine Sechs in einer Klausur ist nicht so schlimm, wenn andere auch eine haben. Und jetzt hatte ich als Einziger eine Sechs. Das Elend hatte keine Gesellschaft mehr.

»Ich hab jetzt auch Besuch!«, sagte ich.

»Blödsinn!«

Ich gab David den Hörer.

»Ja?«, sagte er. »Äh, ich bin David. Wir essen gerade Kekse und trinken Kamillentee.«

Dann lachte David.

»Ja, finde ich auch«, sagte er. »Ja, danke. Mach ich. Tschüss.«

Er drückte mir den Hörer wieder in die Hand.

»Ich wollte dich nächstes Wochenende besuchen«, sagte Tomate, »zusammen mit Birgit. Dann lernt ihr euch mal kennen.«

»Ihr könnt nicht bei mir übernachten!«

»Nein, wollte ich auch gar nicht. Wir übernachten bei meinen Eltern.«

»Schön.«

»Wieso hast du so schlechte Laune?«

Blöde Frage, dachte ich.

»Ich hab auf den verdammten Einstein getrunken und David auf meine Mutter! Ist das nicht Grund genug, schlechte Laune zu haben!«

Tomate wusste nur, dass meine Mutter seit langem in der Klapse war.

Ich lief mit dem Hörer zur Kochnische und wieder zurück, aber er schwieg immer noch.

David fischte sich den letzten Schokokeks aus der Packung.

In Tomates Leben ging es also voran. Er hatte einen Hochschulabschluss und nun sogar eine Freundin. In meinem Leben dagegen gab es einen Sprung um vierzehn Jahre zurück – zu meiner Mutter und ihrem Einstein.

Tomate sagte immer noch nichts.

»Bis dann«, sagte ich.

»Ja.«

Ich legte auf und setzte mich wieder.

»Soll ich dir mal die Nummer von meiner Schwester geben?«, fragte David.

Wieso? Was sollte ich mit ihr bereden? Seine Schwester würde nur versuchen, Sohn und Mutter wieder zusammenzubringen. Ich war aus dem Haus der Schwester meiner Mutter ausgezogen, ich hatte alles hinter mir gelassen. Ich verdankte es nur diesem Dackelgesicht, dass meine Mutter wieder auftauchte.

»Du hast mir diesen ganzen Schlamassel erst eingebrockt!«

»Hast du noch Kekse?«, fragte er mich ungerührt.

Ich stand auf und wühlte in meinem Vorratsschrank. Keine Kekse, nur Lebkuchenherzen.

Ich warf die Packung auf den Tisch.

»Oh, toll«, sagte David und riss die Tüte auf.

»So ein Schlamassel«, sagte ich wieder.

David nahm sich einige Lebkuchenherzen heraus. Ich sah ihm zu, wie er sie sich schmecken ließ. Wie kam David zu der hübschen Gretel, die wie eine Hexe kreischen konnte? Was war so schwierig daran, eine Freundin zu finden? Weshalb hatte Tomate auf einmal eine?

»Tomate hatte noch nie eine Freundin«, sagte ich, »und jetzt hat er auf einmal eine. Ist das nicht komisch?«

»Wieso?«

Ich wollte nicht zugeben, dass ich es komisch fand, dass Tomate vor mir eine hatte. Ich war weder dick noch Brillenträger noch sonst was.

»Er sieht nun mal nicht gut aus.«

»Na und?«

»Und besonders selbstbewusst ist er auch nicht. Frauen stehen doch immer auf Arschlöcher.«

»Dann bin ich wohl ein Arschloch mit Dackelgesicht!«

Ich nahm mir auch ein Lebkuchenherz und starrte wieder auf seinen grünen Pullover.

»Du kannst mir mal die Nummer von deiner Schwester geben«, sagte ich, um abzulenken. Wäre ich nicht betrunken gewesen, wäre es nie rausgekommen, dass er wie ein Dackel aussah. Ich holte einen Schmierzettel mit Bleistift und schaute David erwartungsvoll an.

»19 32 59. Barbara. Du kannst ihr sagen, dass ich dir die Nummer gegeben habe.«

Ich werde ihr gar nichts sagen. Die Nummer landet im Papierkorb, sobald du draußen bist.

Ich nahm einen Schluck Kamillentee und sah aus dem Fenster. Es war dunkel und windig.

Die Bäume an der Straße sahen aus wie Monster mit wehenden Armen. Morgen werde ich auch in eine Anstalt eingeliefert, dachte ich, und auf einmal hatte ich Lust zu zocken. Ich überlegte, welche Spielregeln ich aufstellen sollte. Eins war mir sofort klar: Ich würde Davids Schwester nur danach fragen, ob Geisteskrankheiten vererbt wurden, und meine Mutter mit keinem Wort erwähnen. Und ich würde nur einmal anrufen. Die Wahrscheinlichkeit lag bei fünfzig zu fünfzig, dass sie zu Hause war, setzte ich fest. Seine Schwester musste noch jung sein, also würde sie nach der Arbeit oft ausgehen. Auf ihren Anrufbeantworter würde ich nicht sprechen. Und nun musste ich mir noch überlegen, was passieren musste, *damit* ich sie überhaupt anrief. Ein Wenn-dann-Satz musste her. Er durfte nicht so unwahrscheinlich sein wie ein Blitzeinschlag ins Haus, aber auch nicht so wahrscheinlich wie kein Schnee zu Weihnachten.

»Susie ist mit mir nur zusammen, weil ihr kein Besserer über den Weg gelaufen ist«, fing David auf einmal an zu plaudern. »Krankenschwestern nehmen oft einen Typen unter ihrem Niveau, weil sie sonst keine Männer kennen lernen.«

»Wie hast du sie denn kennen gelernt, wenn du doch Physik studierst?«

»Auf einer Examensparty. Ein alter Schulfreund hat mich mitgenommen. Er ist Krankenpfleger.«

»Und dann?«

»Was und dann?«

»Wie hat es dann geklappt?«

»Tja, Rudi hat uns vorgestellt und ich hab ihr Fragen gestellt. Ob sie im Wohnheim wohnt, was sie sonst noch so macht. Frauen mögen es, wenn man sich für sie interessiert.«

»Und weiter?«, fragte ich.

»Tja, dann hab ich gefragt, ob ich sie nach Hause bringen soll, und das durfte ich dann auch. Irgendwann hab ich mich getraut, ihre Hand zu nehmen und nach ihrer Nummer zu fragen. Nachher hat sie mir erzählt, dass sie mich ganz gut findet, weil ich so groß bin.«

Mir kam eine Idee. Wenn Gretel in dieser Nacht noch an der Tür klopfen sollte, um ihren Dackel abzuholen, dann würde ich seine Schwester anrufen. Wenn er von allein ging, dann nicht.

»Wie lange ist das her?«, fragte ich.

»Wir sind jetzt seit dem Sommer zusammen, so ein halbes Jahr etwa.« Er wiederholte: »Ihr ist wohl seitdem nichts Besseres über den Weg gelaufen.«

Und dir wohl auch nicht, dachte ich. Ich versuchte mir vorzustellen, wie oft sie in dem halben Jahr mehr Hexe als Gretel gewesen war.

Meine Grippe machte sich wieder bemerkbar: Kopfschmerzen, Halsschmerzen. Ich hoffte, dass David sich endlich zu seiner Gretel aufmachen würde.

Dann hätte es so ausgehen können: Gretel klopft nicht an die Tür, also rufe ich auch seine Schwester nicht an.

»Ich koche mir noch einen Kamillentee. Willst du auch einen?«

»Wieso nicht?«, sagte David.

Jeder normale Mensch hätte gesagt: Nein danke, es ist schon spät. Ich muss jetzt gehen. Aber was soll man schon von einem Menschen erwarten, der stundenlang an die Tür klopft? Er war natürlich auch penetrant genug, um stundenlang zu bleiben.

Mir blieb nichts anderes übrig, als wieder Wasser zu kochen. Rausschmeißen konnte ich ihn nicht. Ich hätte sonst in den Wenn-dann-Satz eingegriffen.

Als ich wieder am Tisch saß, klopfte es. Mein Herz polterte wie ein Hüpfsack.

»Willst du nicht aufmachen?«, fragte David.

Ich dachte wieder an das fröhliche Elefantenmuster, ging hin und öffnete. Gretel sah ganz anders aus.

Sie hatte dunkle Haare und war stämmig. Es war gar nicht Gretel.

»Oh Entschuldigung«, sagte sie, »ich wollte zu Tim.«

Tim kannte ich von flüchtigen Begegnungen im Treppenhaus und vor allem vom Hörensagen.

»Der wohnt nebenan.«

»Danke und 'tschuldigung noch mal.«

»Macht nichts.«

Ich schloss die Tür und fragte mich mal wieder, wieso Frauen so dumm waren und sich nie nette Kerle aussuchen konnten.

Ich hatte aber Glück mit meinem Wenn-dann-Satz. Jetzt musste meine Glückssträhne nur noch anhalten, bis David von allein ging. Er fing schon an zu gähnen.

»Pass auf, dass deine Susie nicht Tim übern Weg läuft. Das ist mein Nachbar«, sagte ich und setzte mich wieder an den Tisch.

David schaute mich müde an.

»Der ist ein richtiger Don Juan«, redete ich weiter, »die Frauen fallen reihenweise auf ihn rein.«

»Wenn sie jemand Besseres findet, soll sie ihn nehmen«, antwortete er gelassen.

Ich fragte mich, ob Susie seine erste Freundin war. Vielleicht nicht. Vielleicht stehen Frauen ja auf Dackel.

Wenn David sogar an Frauen wie Gretel rankam, musste er sich einigermaßen auskennen. Er konnte mir bestimmt Fragen beantworten. Die waren zwar peinlich, aber wer sollte sie mir sonst beantworten?

»Wieso stehen die Frauen nicht auf mich?«

Er schaute mich an.

»Ich kann das nicht beurteilen. Ich bin ja keine Frau.«

»Na und? Frauen können ja auch andere Frauen beurteilen.«

Er schien sich vor einer Antwort zu drücken. Deswegen sagte er: »Ich muss jetzt wirklich los. Susie wartet bestimmt schon, sie hat morgen Frühdienst.«

Dann wartet sie nicht, dann schläft sie schon, dachte ich.

Er stand auf.

»Und ruf mal wirklich bei Barbara an«, sagte er im Rausgehen.

Ich hatte beim Zocken gewonnen, das Schicksal hatte es so gewollt. Ich zerknüllte den Zettel und warf ihn in den Papierkorb.

Als ich mich wieder einigermaßen fit fühlte, fuhr ich mit dem Fahrrad zum Marktkauf und kaufte tüchtig ein. Suppe konnte ich einfach nicht mehr sehen. Die Satteltaschen waren voll gestopft mit Fleisch, Fisch, Salat, tiefgekühltem Käsekuchen, Camembert, Pizza, Spaghetti, Wurst, Milch, Quark und vor allem mit Keksen – für den Fall, dass David irgendwann mal wieder vorbeikam.

Zu Hause schob ich mir eine Mozzarella-Pizza rein und machte mir einen grünen Salat dazu.

Draußen war es schon wieder dunkel und nach dem Essen fühlte ich mich wieder fiebrig. Trotzdem konnte ich nicht mehr in meinem Zimmer herumsitzen. Ich setzte mich in die Straßenbahn und fuhr in die Stadt. In der Fußgängerzone war Weihnachtsmarkt. Es roch nach Glühwein, gerösteten Mandeln und Waffeln. Von überall tönte Weihnachtsmusik. Ich musste mich zwischen den Buden hindurchdrängen. Karstadt mied ich dieses Mal, um nicht wieder der Schwester meiner Mutter zu begegnen. Stattdessen ging ich zum Kaufhof. Als ich an der Kosmetikabteilung vorbeischlenderte, fiel mir ein Plakat für ein Deo auf. Eine Frau im Gymnastikanzug stemmte eine Hantel: »Wach im Beruf – aktiv am Wochenende« stand unter ihrer Brust. Wochenende. Fast hätte ich es vergessen: Tomate wollte an diesem Wochenende nach Bielefeld kommen – zusammen mit dieser Birgit. Ich wusste nicht, was mir lieber war: ihn gar nicht zu treffen oder mit Anhang zu treffen.

Man kann nicht normal miteinander reden, wenn ein Dritter dabeisitzt, dachte ich. Man muss immer ein gemeinsames Thema für alle finden. Ich sah es schon voraus: Bestimmt würde diese Birgit das ganze Gespräch an sich reißen und Tomate und ich hätten dann gar nichts mehr zu melden.

Wieso kam er überhaupt an diesem Wochenende?

Ich streifte durch die Gänge, sah mir Kugelschreiber, Büroklammern, Briefumschläge an.

Wie bei Karstadt waren drei Bücher-Wühltische aufgestellt. Soweit ich sehen konnte, waren es Bücher, die es auch bei Karstadt gab. Letztes Mal hatte ich zwei Stephen-King-Bücher gekauft. Vielleicht sollte ich nach weiteren Büchern von ihm wühlen?

An einem der Tische stand wieder eine ältere Frau. Es konnte sein, dass es dieselbe Frau wie bei Karstadt war. Sie suchte wahrscheinlich wieder nach Rosamunde Pilcher.

Als ich zurück zum Jahnplatz ging, fiel mir auf, dass jeder Passant mindestens zwei große Tüten trug. Hatten die Leute wirklich so viele Freunde oder waren die Geschenke einfach so groß?

Ich musste jedes Jahr Geschenke für die Willmers kaufen, weil es Tradition war, den zweiten Weihnachtstag bei ihnen zu verbringen, aber dieses Jahr würde ich mich herausreden und nicht hingehen. Also musste ich auch keine Geschenke für sie kaufen. Ich brauchte diesmal nur noch ein Geschenk für Tomate.

In der Straßenbahn roch es nach feuchten und wieder aufgewärmten Schuhen, Glühwein und Parfüm. Mir gegenüber setzten sich zwei Leute. Ich sah sie nicht an. Ich schaute wie immer zur Seite. Die Bahn stand noch im Jahnplatztunnel. Die Betonwände hatten die Farbe von Titan.

»Patrick!«, sagte jemand.

Ich drehte meinen Kopf. Vor mir saß David.

Mist!, dachte ich. Gretel saß natürlich neben ihm. Ich schielte nach links. Die Frau war zwar auch blond, aber größer. Sie war es nicht. Ich schaute wieder zu David und sagte erleichtert: »Hallo.«

»Du wolltest doch bei Barbara anrufen«, sagte er vorwurfsvoll.

Die Frau neben ihm fragte: »Wieso?«

Ich schaute sie an. Diesmal länger. Sie war blond, David dunkelhaarig. Die beiden hatten keine Ähnlichkeit miteinander. Sie sah besser aus als er. Barbara sollte doch seine Schwester sein, aber …

»Das ist meine Schwester Barbara«, unterbrach David meine Gedanken. Zu ihr sagte er: »Das ist Patrick. Ich hab ihm deine Nummer gegeben. Er braucht mal deine Expertenmeinung.«

Ich schaute ihn eindringlich an: Nicht hier in der Straßenbahn!, lautete die Botschaft. Ob sie ankam, wusste ich nicht.

»Ich hab die Nummer verschusselt«, behauptete ich.

David überlegte.

»Gib ihr doch deine Nummer. Barbara verlegt Nummern nie.«

Ich versuchte, nicht entsetzt auszusehen, und schaute Barbara wieder an. Sie sah aus wie Audrey Hepburn mit blonden Haaren, und mit diesen großen Audrey-Hepburn-Augen blickte sie mich auffordernd an.

»Ich hab keinen Stift dabei.«

»Ich aber«, sagte David.

Ob ich ihn verfluchen sollte? Insgeheim musste er wissen, dass ich einem Anruf abgeneigt war wie ein zu magerer Igel dem Wintereinbruch.

Er zog einen alten Kassenbon aus seinem Portemonnaie, drehte die unbedruckte Seite nach oben und gab ihn mir zusammen mit einem kurzen Ikea-Bleistift.

Einen Augenblick lang kam es mir in den Sinn, eine falsche Nummer aufzuschreiben. Aber ich ergab mich doch dem Schicksal, kritzelte meine Nummer auf den Zettel und überreichte ihn Barbara. Sie lächelte mich kurz an und schaute dann so lange auf den Zettel, als hätte ich ihr eine verschlüsselte Botschaft anstatt einer Telefonnummer aufgeschrieben. Aus dem Lautsprecher erklang die sachliche Stimme: »Krankenhaus« und ich musste mich aufmachen. Ich schaute David an, ich dachte, er würde ebenfalls hier aussteigen, aber er sagte: »Nee, ich muss weiter nach Sieker.« Die Tür sprang auf. Ich ließ die fettige Metallstange los und stieg aus.

Als ich mein Appartement betrat, griff ich als Erstes zum Telefon und rief bei Tomates Eltern an. Doch Tomate war noch unterwegs. Aus dem Schrank holte ich eine Röhre Vitamintabletten und löste eine in Wasser auf. Sie sprudelte immer noch, als das Telefon klingelte.

Barbara!, dachte ich. Die ist aber schnell. Der schnurlose Hörer lag auf dem Tisch und klingelte und klingelte. Es musste schon zum achten Mal geklingelt haben, da dachte ich: Typisch, genauso penetrant beim Durchklingeln wie ihr Bruder beim Anklopfen. Endlich ging ich ran.

»Hi, hier ist Stefan.«

Stefan? Ach ja, nur ein Kommilitone.

Nach wochenlanger Krankheit musste ich die Wohnung endlich wieder auf Vordermann bringen. Nachdem ich aufgeräumt hatte, ging ich mit einem überquellenden Korb voller Handtücher, Unterwäsche, Schlafanzüge und Hosen in den Keller. Zwei Waschmaschinen waren noch frei. Gut. Ich füllte sie und warf die Münzen rein. Als ich die Treppe wieder hochging, kam mir Tim mit einem vollen Wäschekorb entgegen.

»Hallo«, sagte er.

»Hallo«, sagte ich.

Alle Maschinen sind besetzt und er muss seine blöde Wäsche wieder mit nach oben nehmen, dachte ich schadenfroh.

Ob er das Mädchen mit den dunklen Haaren schon abserviert hatte? Was fanden die Frauen bloß an ihm? Er war kleiner als ich, hatte proletenhafte Naturlocken. Außerdem war er dürr wie ein Windhund. Diese Beine in diesen Jeans!

Zufrieden über meine saubere Wohnung gönnte ich mir einen gemütlichen Leseabend. Dabei las ich eigentlich nie. An diesem Abend wollte ich aber nicht fernsehen. Ich wollte es ruhiger haben. Ein Sofa hatte ich nicht, es wäre auch kein Platz dafür gewesen. Ich schüttete eine Tüte Chips in eine Plastikschüssel und legte mich mit Kings *Friedhof der Kuscheltiere* ins Bett. Das war genau das, was ich jetzt brauchte: Gänsehaut. Eine Geschichte, die schlimmer war als meine eigene.

Als die Creeds gerade umzogen, klingelte das Telefon. Ich ärgerte mich. Tomate war bestimmt angekommen. An diesem Abend wollte ich niemanden mehr sehen, höchstens Tomate allein, aber den gabs ja nur noch im Doppelpack.

Wie seine Freundin wohl aussah? Bestimmt ein Tomate-Pendant. Pummelig mit einer dicken Brille. Pickelig und unmodisch gekleidet. Ein rosa Pullover mit einer Bundfaltenjeans. Vielleicht war es aber auch Barbara?

Ich ging ran.

»Ja?«

»Hier ist Tomate. Ich bin jetzt in Bielefeld.«

»Ist deine Freundin auch mit?«

»Ich hab dir doch gesagt, dass Birgit mitkommt!«

»Ist ja schon gut. Ich bin kaputt. Heute kann ich nicht mehr.«

»Wir wollen heute auch nicht mehr kommen. Es ist schon elf!«

»Ach so.«

»Wann kannst du morgen?«

»Ihr könnt nachmittags kommen«, schlug ich lustlos vor.

»Nee, morgen Nachmittag müssen wir Weihnachtsgeschenke kaufen. Die Läden haben doch jetzt samstags bis acht auf?«

»Ja, habense.«

»Wie wärs mit Brunch?«

»Und wo?«, fragte ich.

»Im *Plaza*?«

»Ja, ist gut.«

»Um zehn?«

»Ja.«

»Gut, bis morgen dann.«

»Bis dann.«

Eigentlich ging ich nicht gerne brunchen. Für ein Frühstück war mir die Brunch-Pauschale zu teuer. Aber es war halt in Mode. Richtig hip. Und hippen Leuten waren die Kosten egal. Ich fragte mich, ob »hip« von »Hippo« kam, aber ich verwarf diesen Gedanken sofort wieder. Hippe Leute waren die Letzten, die wie gemütliche Nilpferde aussahen.

Ich ging in den Keller und nahm meine Wäsche raus. Alle Trockner waren frei. Ich stopfte die feuchte Wäsche in zwei Trockner und warf die Münzen ein. Als ich wieder nach oben gehen wollte, sah ich den blauen Korb von Tim in einer Ecke. Er hatte die Wäsche anscheinend stehen gelassen, weil alle Maschinen besetzt gewesen waren.

Es war Freitagnacht. Niemand außer mir ging jetzt noch in den Keller. Die anderen hatten um diese Zeit Besseres zu tun. Sie tanzten in den Diskos oder betranken sich auf irgendwelchen Partys. Sie würden sich erst am nächsten Tag wieder um die Wäsche kümmern.

Ich setzte mich auf den Hocker und schaute nach, was ein spindeldürrer Don Juan in seinem Wäschekorb versteckt hielt. Vielleicht fand ich ja endlich das Geheimnis seiner Anziehungskraft raus.

Seine Handtücher waren dicker als meine und offensichtlich von besserer Qualität. Seine Unterhosen bestanden aus horizontalgestreiften Shorts in Kindergröße. Kein Wunder, dachte ich, Querstreifen sollen fülliger machen. Seine blauen und grauen Socken waren nicht verwaschen, hatten keine Löcher und waren jeweils zu Paaren geordnet. Wahrscheinlich hatte er nicht so viele einzelne Socken wie ich. Das Auffälligste war aber der Geruch nach herbem Männerparfüm. War das sein Geheimnis?

Als ich wieder in der Wohnung war, betrachtete ich mich im Spiegel. Zwar hatte ich abgenommen, aber ich war noch lange nicht so spindeldürr wie Tim. Ich hatte durchschnittlich kurze Haare, ein durchschnittliches Gesicht, eine durchschnittliche Figur. Sogar meine Größe war durchschnittlich. Nur die Anzahl meiner Ex-Freundinnen war unterdurchschnittlich. Mit vierundzwanzig Jahren lag sie bei null. One-Night-Stands, Affären und sonstiges inbegriffen.

Ich musste endlich eine Antwort darauf finden. Vielleicht bekam ich sie im Schlaf.

Ich kam um halb elf am *Plaza* an. Der Laden war proppenvoll. Ich musste meinen Kopf hundert Mal in alle Richtungen drehen, um Tomate endlich zu entdecken. Er und seine Freundin saßen sich nicht gegenüber, sondern nebeneinander.

Tomate stellte uns vor. Ich wusste schon, dass sie »Birgit« hieß und sie wahrscheinlich auch, dass ich »Patrick« war.

Aber sie sah gar nicht so aus, wie ich sie mir vorgestellt hatte. Ihr Gesicht war rund, aber nicht so rund wie eine Tomate. Sie sah richtig hübsch aus, wirkte größer als Tomate. Aber das konnte ich nicht so genau beurteilen, weil beide saßen. Sie war eher kräftig als zierlich, aber nicht dick.

Ich zog mir die Jacke aus und ging zum Buffet. Dort nahm ich mir einen Teller vom Stapel und legte zwei Brötchen darauf. Dann entschied ich mich noch für Rührei mit Schnittlauch, geräucherten Schinken, Butter, Lachs und ein Stück Weichkäse. Für die erste Runde reichte es. Ich nahm mir auch ein Glas Orangensaft. Der war inklusive, Kaffee nicht.

Als ich wieder am Tisch saß, rechnete ich mir aus, dass ich mindestens noch zwei solcher Teller und Nachtisch essen musste, bis ich den Pauschalpreis wieder raushatte. Ich fing an zu essen und versuchte, Birgit nicht anzuschauen. Was fand diese schöne Frau an Tomate? War ihr denn wirklich kein Besserer über den Weg gelaufen? Die ganze Oberstufe hätte groß geguckt: Tomate mit einer Freundin, der auch andere Männer hinterherschauten.

»Ich bin zu Weihnachten nicht da«, sagte Tomate.

Das hatte ich mir fast schon gedacht. Wieso hätte er sonst auch drei Wochen davor kommen sollen? Geschenke konnte er auch in Frankfurt kaufen.

»Wieso?«

»Weil ich mir Urlaub genommen habe. Wir wollen Weihnachten und Silvester in Paris verbringen.«

Die Stadt der Liebe, dachte ich spöttisch. Na und, dachte ich dann weiter. Dann werde ich diese dummen Feiertage ohne die Willmers und auch ohne Tomate verbringen. Ich werde es mir allein gemütlich machen. Auch gut. Vielleicht werde ich dieses Jahr eine Gans in die Röhre schieben. Die Reste könnte ich einfrieren.

Tomate konnte kein bisschen kochen. Er schmierte sich allenfalls Butterbrote oder bestellte sich überbackene Tortellini vom Pizzataxi. Er hätte seinen Mund nicht mehr zugekriegt, wenn er Weihnachten gekommen wäre und es hätte ihn eine riesige Gans angelacht.

Eine Weile lang aßen wir schweigend.

Tomate hätte mich bestimmt auf das letzte Telefonat angesprochen, wenn seine Freundin nicht dabei gewesen wäre. Er hätte mich gefragt, was es mit meiner Mutter und Einstein auf sich hatte. Aber er war taktvoll genug, mich nicht vor seiner Birgit zu fragen.

Tomate erzählte von Frankfurt, von guten Cafés, von den Mietpreisen, von einem dreistöckigen Penthouse mitten in der Stadt, das schon lange leer stand, von Parkplatzproblemen.

Ich aß weiter und zog wieder los zum Buffet. Voll gestopft, wie ich war, hätte ich aufhören sollen, aber ich wollte mein Geld ja wieder rausbekommen.

Birgit schwieg und lächelte. Ich wusste auch nichts zu sagen. Mit Tomate alleine hätte ich mich wohl gefühlt. Aber nun war er der Einzige von uns dreien, der nicht angespannt war.

Als mein Teller wieder leer war und ich zu platzen drohte, fragte ich Birgit: »Bist du auch Juristin?«

»Nein, ich bin Sekretärin.«

»Birgit arbeitet in derselben Kanzlei«, sagte Tomate.

Ich dachte an das Klischee: Frauen schauen bei Männern in erster Linie auf Status und Kohle und die Männer wollen schöne Frauen haben.

Tomate war ehrgeizig. Er arbeitete von morgens bis spätabends. Nach dem Referendariat wollte die Kanzlei ihn als Anwalt einstellen. Wahrscheinlich bekam er in fünf Jahren das Angebot, Partner werden. Und Birgit war eine Schönheit. Alles stimmte. Ich musste lachen. Birgit lächelte aus Höflichkeit mit und Tomate schaute fragend, aber ich klärte ihn höflicherweise nicht auf.

Das Frühstück schleppte sich mühselig dahin. Ich aß und aß. Tomate erzählte und erzählte und Birgit schaute schüchtern wie am ersten Schultag.

Schließlich stieg ich wieder in die Straßenbahn und die beiden zogen durch die Stadt.

Ich war hundemüde und legte mich zu Hause sofort wieder ins Bett. Dass es schon wieder dunkel wurde, merkte ich nur träumend. Wenn ich tagsüber schlief, bekam ich immer Alpträume. Bevor ich vom Baum fiel, weckte mich glücklicherweise das Telefon. Ich schaute auf den Radiowecker. Es war schon halb sieben. Ich nahm ab.

»Hallo Patrick. Hier ist Anne.«

Scheiße, dachte ich. Jetzt will sie mich zur Rede stellen.

»Hallo.«

»Wann kommst du Weihnachten? Abends oder nachmittags?«

Die Leute mussten auch immer wochenlang vorher planen!

»Ähm …«, sagte ich.

Ich hatte mir noch gar keine Ausrede ausgedacht. Sollte ich jetzt sagen, ich hätte einfach keine Lust zu kommen? Dass ich nur jedes Jahr gekommen war, um anderen erzählen zu können, ich feiere Weihnachten auch in der Familie?

Außerdem war ich aus Höflichkeit zu den Willmers gegangen. Sie luden mich ja auch nur aus Höflichkeit ein. Sie wollten kein schlechtes Gewissen haben und deshalb schlossen sie mich nicht aus.

Ich wollte die Wahrheit sagen. Frei raus, dass ich nun mal nicht kommen wollte. Es wäre ihnen recht, aber sie würden mich als »undankbar« bezeichnen.

Ich konnte sie verstehen. Vielleicht könnte ich auch nicht irgendein Kind in meine Familie aufnehmen und es wie mein eigenes behandeln.

»Ähm …, tut mir leid, aber ich kann dieses Jahr gar nicht kommen. Ich hab grade Tomate getroffen und wir haben vor, Weihnachten in Paris zu verbringen.«

»Oh, das ist ja schön. Dann komm doch, wenn du wieder da bist.«

»Ja, ich rufe mal an.«

»Dann viel Spaß, wenn wir uns vorher nicht mehr sprechen.«

»Ja, danke. Und Gruß an alle.«

Kein Wort über die Beinrasurfrage. So war die Schwester meiner Mutter. Alles Peinliche verdrängen.

Ich war überrascht, dass ich so gut lügen konnte.

Es klingelte schon wieder.

Hatte Anne nur vergessen, mich auf meine komischen Fragen anzusprechen? Wollte sie das jetzt nachholen?

»Hallo«, sagte ich.

»Hallo, hier ist Barbara.«

Mist, dachte ich. Gibt es nicht die Anstandsregel: Ruf erst nach drei Tagen an? Aber das war auch kein Anruf, um zu schauen, ob mehr daraus wurde.

»Hallo«, sagte ich noch mal.

»David hat gesagt, du wolltest mich irgendetwas Fachliches fragen.«

Sie kam also sofort auf den Punkt.

»Ja … du arbeitest doch in Bethel.«

»Ja.«

»Im Sonnenhof.«

»Ja.«

»Sind Geisteskrankheiten vererbbar?«, platzte ich heraus.

Sie schwieg eine Zeit lang.

»Na ja«, sagte sie dann, als sei sie zu einem Ergebnis gekommen. »Ich denke, es besteht für die Kinder der Erkrankten ein erhöhtes Risiko, aber ich weiß nicht, ob das nur was mit Vererbung zu tun hat. Vielleicht sind es die schwierigen Verhältnisse, die dazu führen.«

»Es ist also nicht so vererbbar wie Diabetes oder Rot-Grün-Blindheit?«, fragte ich weiter.

»So genau weiß ich das auch nicht. Ich bin keine Ärztin, ich betreue die Leute nur.«

»Aber du kennst doch die Kinder von denen!«

»Na ja. Ich kenne nur ganz wenige Angehörige. Die meisten wollen mit den Patienten nichts mehr zu tun haben.«

Ahnte sie etwas? Dass ich der Sohn von der Einstein-Frau war?

»Und?«, fragte ich weiter. »Kannst du das verstehen?«

»Ja.«

Seltsamerweise musste ich kurz an meine Wäsche im Keller denken. Vielleicht weil ich ihre Antwort nicht glauben konnte: Jemand verstand es. Ist es nicht schlimm, Angehörige im Stich zu lassen? Sie wusste nicht, dass ich der Sohn ihrer Patientin war. Sie wusste nicht, dass ich meiner Mutter fern blieb, sie im Stich ließ, wie andere mir vorwerfen würden. Aber sie verstand. Ich hätte vor Freude hüpfen können.

Über die Vererbung von Geisteskrankheiten hatte ich nicht viel Neues erfahren. Es konnte also sein, dass ich verrückt wurde, vielleicht aber auch nicht. Ganz egal in diesem Moment.

»Wie gefällt dir deine Arbeit?«, kam es aus mir heraus.

»Geht so«, antwortete sie.

Es klopfte an meiner Tür. War es Tim? Hatte er die Schnüffelei in seiner Wäsche bemerkt?

Ich ging zur Tür und öffnete. Es war David.

»Deine Schwester ist grad dran.«

Ich drückte ihm den Hörer in die Hand.

»Hi, ich bins«, sagte David. »Ich bin gerade hier reingeschneit. Ja, okay. Bis dann.«

Er legte auf.

»Keine Angst«, sagte er dann. »Ich bin nicht zum Essen gekommen. Susie ist grade stinksauer. Sie hat mich rausgeschmissen.«

»Schade. Ich hab noch nichts gegessen. Willst du wirklich nichts?«

David grübelte. »Susie ist wirklich sauer. Vielleicht sollte ich gleich wieder rübergehen.«

»Ach was«, sagte ich, »Essen beruhigt und sie wird sich auch beruhigen.«

»Na, wieso nicht? Du wirst es nicht glauben, aber ich wollte mir grade wirklich eine Pizza bestellen.«

Für einen Moment kam es mir in den Sinn, seine Schwester auch zum Essen einzuladen. Aber ich vergaß das schnell wieder. Ich wollte an diesem Abend keine Aufregung mehr.

»Deine Schwester ist nett«, rutschte es mir heraus.

»Und sie findet dich unhöflich.«

»Wirklich?«

Dabei hatte ich es schon geahnt. Ich hatte sie einfach weitergereicht, ohne mich zu verabschieden.

»Ja, ist aber nicht so schlimm.«

»Wie kann ich das denn bereinigen?«

»Lad sie doch mal zum Essen ein!«

David lachte.

»Meinst du das wirklich?«

»Wieso nicht?«, fragte er immer noch lachend.

»Und was ist daran so lustig?«

»Barbara kann überhaupt nicht kochen. Du kannst es gut. Ist doch mal was anderes: vertauschte Rollen.«

Sehr witzig!, dachte ich. Darüber konnte er also lachen. Aber wieso sollte ich sie nicht wirklich mal zum Essen einladen? Offiziell für ihre fachliche Auskunft. Inoffiziell für ihr Verständnis für Leute wie mich, die mit ihren Angehörigen in Bethel nichts mehr zu tun haben wollten. Aber ich würde mich sowieso nicht trauen.

»Wieso ist Susie denn sauer?«, fragte ich David, obwohl es mich überhaupt nicht interessierte.

Ich wollte nur von dem Thema »Barbara« ablenken. Seine Susie war doch immer sauer.

»Sie will Silvester mit ihrer Clique zusammen in den Bergen eine Hütte mieten und ich soll mit.«

»Und du willst nicht?«

»Nö, wenn ich mitgewollt hätte, wäre sie ja nicht sauer auf mich.«

»Und warum fährst du nicht mit?«

»Erstens bin ich ein armer Student und zweitens mag ich manche von denen nicht.«

Und deine Susie magst du eigentlich auch nicht, dachte ich.

»Lass uns was zusammen kochen«, forderte ich ihn auf. »Du kannst die Zwiebeln schneiden und den Käse raspeln. Ich koche die Spätzle und wasche den Salat.«

»Was gibt es denn?«

Du bist genauso wie deine Schwester, dachte ich. Kannst anscheinend auch nicht kochen.

»Spätzle, Zwiebeln und Käse. Was wird das wohl?«

Ihm fiel nichts ein.

»Kennst du keine Käsespätzle?«

»Nö.«

»Na, dann lernst du sie mal kennen«, sagte ich gönnerisch. Ich kannte sie auch erst seit zwei Monaten, aber das musste er ja nicht wissen.

Ich holte Zwiebeln, ein Schneidebrett, ein Messer und zwei Schälchen.

»In die eine Schale tust du die Zwiebeln rein. Die kleinere ist für die Zwiebelschalen«, sagte ich, als sei ich das Aschenputtel und er eine Taube.

Ich setzte einen Topf mit Wasser auf und beobachtete David beim Zwiebelschneiden. Er schnitt sie wie Kraut und Rüben. Es dauerte einfach ewig! Er schien das zum ersten Mal zu machen. Am liebsten hätte ich ihm alles aus der Hand genommen.

Ich dachte an unsere Begegnung in der Straßenbahn. Wohnte Barbara noch bei den Eltern im Haus? Sie waren schließlich beide Richtung Sieker gefahren. Dieser Gedanke behagte mir gar nicht. Wenn Frauen noch zu Hause wohnen, schreckt mich das ab. Viele Studentinnen wohnten noch zu Hause, weil sie nicht jobben wollten. Ich hätte lieber die Hälfte der Woche gejobbt, anstatt weiterhin bei den Willmers zu wohnen.

»Wohnst du in Sieker?«, fragte ich David.

»Ja, ich wohne bei meinen Eltern, aber im Dachgeschoss. Es ist im Grunde eine eigene Wohnung mit zwei Zimmern und Bad, aber ohne Küche.«

»Wohnt deine Schwester auch noch zu Hause?«

»Aha!«, rief er aus.

»Was ›aha‹?«

»Du interessierst dich für Barbara.«

»Blödsinn. Bist du immer noch nicht fertig mit den Zwiebeln?«

»Ich hab doch schon zwei Zwiebeln geschnitten. Das ist doch schon die Hälfte!«

Das Wasser kochte. Ich streute Salz hinein und warf die Spätzle hinterher. Dann wusch ich den Salat.

Eigentlich sollte er mal einen Kochkurs bei der Volkshochschule machen, dachte ich. Seine Gretel kann bestimmt auch nicht kochen, sonst müsste er nicht immer Pizza bestellen.

»Ich bins noch mal. Hast du schon gegessen?«

Ich schaute zu David, aber er redete nicht mit mir. Er hielt den Hörer in der Hand.

»Ja, wir kochen gerade … äh … Käsespätzle. Hast du Lust, vorbeizukommen?«

Wen lud er ein? Bestimmt nicht Gretel, die wohnte ja nur vier Türen weiter.

»Oelmühlenstraße, du kennst doch das Pflegerwohnheim, direkt an der Straßenbahnhaltestelle … ja genau, das alte Krankenhaus. Dann musst du bei ›Müller‹ klingeln … erster Stock, Appartement …« David schaute mich fragend an.

»Sechzehn«, sagte ich überrumpelt.

»Also, Appartement sechzehn. Wann kannst du da sein? Zwanzig Minuten? Okay, bis dahin schaffen wir es … Ja, bis gleich.«

Er drückte die Auflegtaste.

»Wen hast du angerufen?«, fragte ich.

Er konnte doch nicht einfach irgendwelche Leute anrufen und zum Essen einladen.

»Barbara.«

»Was! Wieso? Sie kommt aber nicht, oder?«

»Sie kommt in zwanzig Minuten. Das wirst du wohl rausgehört haben. Du kochst sowieso immer viel zu viel.«

»Aber es ist doch Samstagabend. Hat sie da nichts Besseres vor?«

»Sie ist später noch zum Kino verabredet, also bleibt sie sowieso nicht lange.«

Wie konnte er mir das antun? Ich werde keinen Bissen runterkriegen, dachte ich. Von wegen entspannter Abend.

Ich nahm den Käse aus dem Kühlschrank und rieb ihn. David war immer noch mit seinen Zwiebeln beschäftigt. Seine Augen tränten.

Die Spätzle waren gar. Ich schüttete sie in ein großes Sieb und dachte dabei an das Wort meiner Mutter. Ambivalent. Einerseits wollte ich, dass Barbara kam, und freute mich darüber. Andererseits war mir nichts lieber als ihre Abwesenheit. Ich war sowohl gut als auch schlecht gelaunt.

Er war endlich fertig mit den Zwiebeln. Ich briet sie an, gab die Spätzle dazu und dann den Käse. Inzwischen deckte David den Tisch und entkorkte den Wein.

Mir flogen tausend Gedanken durch den Kopf: Mein Appartement kam mir auf einmal so unordentlich vor. Hoffentlich lief sie Tim nicht übern Weg. Und hoffentlich kannte sie Gretel nur vom Hörensagen und nicht persönlich. Hoffentlich rief sie noch mal an und sagte ab. Hoffentlich …

Es klingelte. Ich drückte auf die Türsprechanlage.

»Ja?«, fragte ich, obwohl ich genau wusste, wer unten vor der Tür stand.

»Hier ist Barbara.«

Ich drückte auf »Öffnen«.

Was hatte ich überhaupt an? Ich trug einen gelb-schwarz gestreiften Pullover und dachte daran, dass ich Tim in Unterhosen ähnelte oder einer dünnen Hummel. Im Trockner befanden sich bessere Sachen. Jetzt konnte ich aber nicht mehr in den Keller laufen.

Mir blieb nichts anderes übrig, als die Pfanne auf den Tisch zu stellen.

Es klopfte zweimal zaghaft und Barbara kam rein. Die großen Rehaugen schauten mich an.

»Das riecht lecker!«

»Hallo«, sagte ich nur.

Sie sah sich im Raum um. Eigentlich sind Rehaugen braun, aber ihre waren grün. Sie war schlank und groß, fast so groß wie ich. In einer Hand hielt sie eine Flasche Rotwein.

»Wir haben schon eine Flasche aufgemacht«, sagte ich, »aber die können wir ja später trinken.«

Sie zog ihren Mantel aus und drückte ihn mir in die Hand. Aber ich hatte gar keine Garderobe, also warf ich ihn aufs Bett. David kicherte, ich fragte mich warum. Da ich keine Anstalten machte, uns allen aufzuladen, nahm David das in die Hand.

»Von woher kennt ihr euch?«, fragte Barbara.

David lachte und sagte: »Von Susie.«

»Du bist also ein Freund von Susie«, stellte Barbara fest.

Darauf fiel mir nichts ein.

»Eher ihr Feind!«, prustete David los.

Wir aßen alle.

»Hm, das ist total lecker«, lobte mich Barbara nach dem ersten Bissen.

Ich lächelte verkrampft.

»Der Wein ist auch gut«, sagte sie dann.

Das Blut stieg mir in den Kopf.

Die beiden redeten dann Gott sei Dank über ihre Eltern, die irgendwann in den Urlaub fahren wollten. Ich musste erst mal nichts sagen.

Als ich fertig mit dem Essen war, fragte ich Barbara: »In welchen Film gehst du nachher?«

Ich wollte schließlich nicht wie ein stummer Fisch wirken.

»In *A Beautiful Mind*. Er lief schon vor längerer Zeit, aber das *Cinestar* wiederholt jede Woche ältere Filme. Kennst du den?«

»Nee, worum geht es denn?«

»Um einen Mathematiker, der schizophren ist und später den Nobelpreis bekommt.«

Man kann den Verrückten nie entkommen, dachte ich.

»Willst du mitkommen?«, fragte sie. »Ich treff mich mit zwei Kolleginnen vorm *Cinestar*.«

Vielleicht wäre ich sogar mitgegangen, wenn es ein anderer Film gewesen wäre.

»Nein danke, ich bin müde.«

»Du kommst aber mit, oder?«, wandte sie sich an David.

»In den Film wollte ich schon immer«, sagte er, »aber ich hab mich grad mit Susie gestritten. Ich muss gleich zu ihr und sehen, ob sie sich abgeregt hat.«

»Wieso hast du sie nicht auch zum Essen eingeladen?«

»Äh … sie kann Patrick nicht leiden und er sie wohl auch nicht.«

»Wieso?«

Ich starrte David an. Erzähl es bloß nicht!, dachte ich. Ich hob schon meinen Fuß, um ihn unter dem Tisch zu treten.

»Äh«, druckste er herum, »das weiß ich nicht so genau. Die beiden können sich einfach nicht riechen.«

Ich setzte meinen Fuß wieder auf den Boden.

»Ich kenne Susie ja nicht«, sagte Barbara.

Wir aßen alle noch eine zweite Portion und mir gefiel es, dass Barbara nicht wie alle anderen Frauen in der Öffentlichkeit den kleinen Vogel spielte. Die meisten Frauen tun so, als hätten sie einen Spatzenmagen, und die dicksten sind dabei am schlimmsten.

Ich hatte einmal eine Nachbarin, die hatte eine Figur wie Harry Weinfurt vor seiner Slim-Fast-Diät. Als sie sich mal zum Essen aufgedrängt hatte und ich drei Teller Spaghetti verschlang und sie nur einen halben, sagte sie von oben herab: »Wie kannst du nur so viel essen? Mir reicht jeden Abend eine Mohrrübe!«

Ich war aber nicht gehässig genug ihr zu sagen: »Wenn du jeden Abend nur eine Mohrrübe isst, wie kommt es dann, dass du wie ein Kürbis aussiehst?«

Außerdem wohnte sie nebenan. Man sollte seine Nachbarn nicht gegen sich aufbringen, sonst hat man selbst zu Hause keine Ruhe mehr.

»Gibt es auch Nachtisch?«, fragte David wie ein kleiner Junge.

»Na klar!«

Während er und Barbara die Teller zusammenstellten, gab ich jeweils drei Kugeln Vanilleeis auf einen Suppenteller, löffelte rote Grütze darüber und streute noch Schokostreusel drauf. Und am Tisch goss ich noch jeweils einen Schuss Rotwein darüber: Ich steckte je eine Wunderkerze ins Eis, zündete sie an und sagte: »Voilà!«

Die beiden waren ganz schön beeindruckt.

David rief fröhlich: »Paul Bocuse höchstpersönlich!«

Ich wusste zwar nicht, wer das war, aber es hörte sich nach jemandem an, der kochen konnte.

»David und ich können nicht kochen«, seufzte Barbara und starrte verträumt auf die flackernde Wunderkerze.

Als Kind waren Wunderkerzen wirklich kleine Wunder für mich gewesen, und für einen Moment erinnerte ich mich an das Feuerwerk zu Silvester. Früher hatte ich jedes neue Jahr begrüßt und mich gefragt, was in diesem Jahr wohl kommen würde. Ich hatte immer auf ein großes Wunder gewartet.

Als die Kerzen abgebrannt waren, zogen wir sie heraus und löffelten das Eis. Ich starrte abwechselnd auf meinen Eisbecher und zu David rüber.

»Kannst du asiatisch kochen?«, fragte Barbara.

»Wieso?«

»Weil ich gerne asiatisch esse.«

»Ich auch!«, bemerkte David.

Ich konnte tiefgekühlte Frühlingsrollen in den Backofen schieben.

»Ich kanns nicht. Geht doch beide zur Volkshochschule, da werden immer Kurse angeboten.«

»Das geht nicht wegen meinen Diensten. Ich hab oft Spätdienst«, sagte Barbara.

Insgeheim ärgerte ich mich. Wieso kochte ich immer italienisch?

Es klopfte an der Tür. Ich stellte mir Tim in gestreiften Unterhosen vor.

Ich ging hin und öffnete. Gretel starrte mich böse an. Ich bat sie nicht herein, sondern rief David zu mir.

»Was machst du hier so lange!«, motzte sie ihn an.

»Äh … du hast mich rausgeschmissen. Weißt du das noch?«

»Ich warte seit zwei Stunden auf dich!«

»Äh … ich habs vergessen … quatsch, ich hab gegessen, meine ich.«

»Du isst hier seelenruhig, während ich seit zwei Stunden darauf warte, dass du wiederkommst!«

Gretel warf mir einen verächtlichen Blick zu.

»Dann gehst du auch noch ständig zu diesem Spinner! Was soll das!«

David wandte sich um, schaute zu Barbara, sagte: »Tschüss!« und zu mir: »Äh, danke fürs Essen, aber ich muss jetzt mal los. Wir sehen uns.«

Er dackelte mit Gretel davon.

Am liebsten wäre ich mitgegangen, trotz Gretel. Er konnte mich doch nicht einfach so mit Audrey Hepburn alleine lassen. Ich war geliefert.

Zurück am Tisch sagte ich: »Das war Susie.«

Ich goss ihr ungefragt Wein nach.

»Weißt du, dass du mit jemandem Ähnlichkeit hast?«, fragte sie und mein Magen verkrampfte sich.

Die Spätzle wollten wieder hochkommen.

Sie wusste meinen Nachnamen und jetzt hatte sie noch andere Gemeinsamkeiten bemerkt.

Scheiße, dachte ich. Wieso ist David nicht hier. Wieso war Gretel nicht das letzte Mal gekommen, um ihn abzuholen? Damals hätte es gepasst, aber an diesem Abend war ihr Auftauchen so unpassend wie ein Schnupfen vor einem Zahnarzttermin.

Gleich würde sie es sagen. Ich wartete auf ihre stochernden Fragen.

»Du siehst aus wie Russel Crowe, der Hauptdarsteller in *A Beautiful Mind*«, sagte sie.

Wer war Russel Crowe? Hauptdarsteller? Ich sah aus wie ein Schauspieler? Nicht wie meine Mutter? Ich wunderte mich.

»Sieht dieser Russel Crowe gut oder schlecht aus?«

»Weder noch. Er ist ein bisschen älter als du und hat mehr Muskeln.«

Wollte sie damit sagen, dass ich ein Hänfling war? Sah ich aus wie Tim?

Barbara blinzelte mich an und lachte: »Nein. So hab ich das nicht gemeint. Russel Crowe hat immerhin mal den Gladiator gespielt.«

Ach so, dachte ich. Nun, dann wird er wohl wirklich mehr Muskeln haben.

Sollte ich ihr sagen, dass sie wie Audrey Hepburn mit blonden Haaren und grünen Augen aussah? Nein, sie hätte sonst gedacht, ich wollte ihr Komplimente machen.

Ich sah auf den Teller. Das ist komisch, dachte ich. Nun sitze ich hier mit einer Frau, die jeden Tag mit meiner Mutter zusammen ist, und das ist noch nicht mal schlimm. Ich schaute Barbara an.

»Wir können ja mal zusammen was Asiatisches kochen … zusammen mit David.«

»Hört sich gut an.« Sie freute sich. »Aber in deiner Kochnische ist es für drei Leute zu eng.«

Sie überlegte einen Augenblick.

»Wir könnten bei mir kochen. Ich hab eine Wohnküche.«

»Wohnst du in Sieker?«

»Nein, in Bethel.«

Epilierer, Epileptiker, dachte ich.

»Hast du eine Patientin, die ›Müller‹ heißt?«, fragte ich ohne Grund. Ich fühlte einen Stich im Bauch, als würde ich gerade Harakiri begehen. Aber sie stand ja auf Asiatisches.

»Ja, warum?«

»Ich heiße auch Müller.«

»Du bist also mit Frau Müller verwandt?«

In diesem Augeblick wünschte ich mir, vollkommen betrunken zu sein, aber ich war noch nicht mal angesäuselt.

Sie schaute mich an und ich hörte geradezu, wie es in ihrem Gehirn »klick, klick, klick« machte, aber sie sagte nichts. Sie wollte das Tier nicht in die Fallgrube drängen.

Ich erwartete ihre ratternden Fragen: Wieso ich meine Mutter nie besuchte, wieso ich noch nicht mal zu Weihnachten mit ihr sprechen wollte, wieso ich kein Verständnis für ihre Geisteskrankheit hatte, wieso ich meine Mutter so unglücklich machte.

Sie sagte immer noch nichts.

»Musst du jetzt nicht ins Kino?«, fragte ich. Es war ein Rausschmiss.

Sie schaute auf die Uhr und sagte gelassen: »Ich hab noch 'ne Viertelstunde Zeit.«

Ich goss mir den letzten Wein ein. Sollte ich eine Packung Kekse holen? Dazu war ich nun wirklich zu satt. Und sie wohl auch.

»Ich muss kurz jemanden anrufen.«

Ich nahm das Telefon und verzog mich ins Bad. Konnte ich so spät noch bei Tomates Eltern anrufen? Es war ja schließlich Wochenende. Ich drückte auf die Tasten.

»Keller?«

»Ja, hier ist Patrick. Ist Thorsten da?«

»Du Patrick, der ist noch mit der Birgit unterwegs. Gibt es etwas Wichtiges? Soll er zurückrufen?«

»Nein, nein«, sagte ich, »Entschuldigung, ich wusste gar nicht, dass es schon so spät ist.«

Mir blieb nichts anderes übrig. Ich musste zurück an den Tisch.

»Wann sollen wir denn mal zusammen kochen?«, fragte sie.

Wie sollen wir zusammen kochen, wenn du in Bethel wohnst, dachte ich.

Ich wusste, dass David keine Küche hatte, aber ich fragte trotzdem: »Können wir nicht bei David kochen?«

»Der hat doch gar keine Küche.«

Sollte ich behaupten, dass ich gar nicht gern asiatisch essen würde, dass ich in den nächsten Wochen keine Zeit hätte? Weder als Kind noch als Erwachsener hatte ich jemals Bethel betreten und das wollte ich jetzt auch nicht ändern.

»Willst du Kekse?«, fragte ich und stellte mir vor, wie sie antwortete: »Ich will keine Kekse, ich will lieber einen Mann!«

»Nein, danke«, sagte sie nur. »Passt dir nächste Woche Mittwoch?«

»Und was sollen wir kochen, wenn wir alle drei überhaupt nicht asiatisch kochen können?«

»Ich hör mich mal um. Ich meld mich einfach Mittwoch bei dir. Wir könnten dann die Sachen im Asia-Shop besorgen. An der August-Bebel-Straße gibt es ein Geschäft.«

Ich fragte mich langsam, weshalb sie unbedingt mit mir kochen musste. Es gab doch genug Restaurants.

»Ich weiß noch gar nicht, ob ich kann. Ein Freund aus Frankfurt ist grad in Bielefeld. Vielleicht treffe ich mich Mittwoch mit ihm.«

Natürlich war das gelogen. Tomate blieb nur bis morgen Nachmittag.

»Wann weißt du das denn?«

»Wenn ichs weiß, rufe ich an«, behauptete ich.

Ich wartete immer noch darauf, dass sie nachhakte. Mich nach meiner speziellen Beziehung zu Frau Müller ausfragte. Schließlich hatte ich doch starke Andeutungen gemacht.

Sie nahm einen großen Schluck aus ihrem Weinglas. An ihrer Miene konnte ich nichts erkennen. Wollte sie in ihrer Freizeit nichts von der Arbeit hören oder dachte sie sich einfach ihren Teil?

»Was isst du die ganze Zeit, wenn du gar nichts kochen kannst?«, fragte ich.

»Ich schieb fertigen Fisch in den Ofen oder mache mir Spaghetti.«

»Ich will dieses Jahr zu Weihnachten einen Gänsebraten machen«, verkündete ich stolz.

»Wirklich? Dann kommen bestimmt viele Leute.«

Es kommt niemand, dachte ich und sagte: »Das weiß ich noch nicht.«

Ich stellte mir vor, wie die Kerzen brannten und ich alleine mit meiner Gans im Zimmer saß. Das Pflegerwohnheim war zu Weihnachten immer leer. Alle, die nicht arbeiten mussten, fuhren zu ihren lieben Verwandten.

Die Viertelstunde muss doch bald vorbei sein, dachte ich sehnsüchtig.

Das Telefon klingelte.

»Ja?«

»Hier ist Tomate. Du hast vorhin angerufen?«

»Ja.«

»Was gab es denn?«

Ich schaute Barbara an.

»Ich geh mal ins Bad«, sagte sie.

Ich nickte.

»Hast du Damenbesuch?«, fragte Tomate.

Ich ging in den Hausflur und die Treppe hinunter, damit Barbara nicht mithören konnte.

Im Keller angelangt, gab ich ihm endlich eine Antwort.

»Ich hab nur angerufen, weil mir langweilig war.«

»Dir ist langweilig, wenn du Frauenbesuch hast?«

Dazu fiel mir nichts ein.

»Aber ich wollte dich sowieso anrufen«, fuhr Tomate fort.

»Was meintest du vor einer Woche mit Einstein und deiner Mutter?«

»Ich meinte gar nichts.«

»Diese Frau – dein Besuch. Wer ist das?«

»Das ist nichts.«

»Das ist nichts? Eine Frau? Nachts in deiner Wohnung?«

Der blaue Wäschekorb war leer und stand vor einer Waschmaschine. Tim hatte also seine gestreiften Unterhosen drin.

»Es ist nicht so, wie du denkst«, sagte ich, als müsste ich mich vor Tomate rechtfertigen.

»Ich denke überhaupt nichts!«

»Es ist kein Rendez-vouz. Sie ist die Schwester von David.«

»David?«

»David war doch mal hier, so vor einer Woche, als du angerufen hast.«

»Ach so … und weil sie Davids Schwester ist, ist es natürlich kein Date.«

»Nein, es ist rein sachlich.«

»Rein sachlich?« Tomate kapierte nicht. »Wie findest du Birgit?«, fragte er dann.

Schön, und langweilig, dachte ich. Aber ich war für sie anscheinend genauso langweilig. Schüchterne sind bei den ersten Treffen immer so. Sie brauchen mehr Anlaufzeit, um sich mit jemandem unterhalten zu können.

»Nett«, antwortete ich. »Sie sieht ziemlich gut aus.«

Tomate war zufrieden.

»Sie findet dich auch nett«, behauptete er. »Wo bist du eigentlich? Es hallt so. Du sitzt doch nicht auf der Toilette?«

»Auf der Toilette kann ich gar nicht sitzen, weil Barbara dort sitzt.«

»Ach Barbara heißt dein Date. Wo bist du dann?«

»Im Keller, Herr Keller«, antwortete ich und überlegte mir, meine Wäsche gleich aus dem Trockner zu holen.

»Was machst du im Keller?«

»Sie soll ja nicht alles mithören«, antwortete ich.

»Sieht sie gut aus?«

Das war typisch Tomate. Selber hässlich, aber Wert auf Schönheit legen.

»Nein«, gab ich trotzig von mir.

»Ich komme jedenfalls morgen Nachmittag vorbei, um dir schon dein Weihnachtsgeschenk zu geben.«

»Mitte Dezember?«

»Ja, ich weiß nicht, wann ich demnächst wieder mal nach Bielefeld komme. Du sollst es natürlich erst Weihnachten auspacken.«

»Ich hab aber noch kein Geschenk für dich!«, fiel mir zu meinem Entsetzen ein.

»Macht ja nichts. Das kannst du mir nächstes Jahr geben.«

Ich hörte Schritte. Hatte Barbara mich im Keller gefunden?

»Hallo«, sagte Tim.

»Hallo«, erwiderte ich. In den Hörer sagte ich: »Du, ich muss mal Schluss machen. Wann morgen?«

»So um vier Uhr?«

»Wieder mit Birgit?«

»Natürlich mit Birgit. Soll ich sie etwa bei meinen Eltern zu Hause lassen!«

»Ist ja schon gut. Bis morgen.«

Ich drückte auf »Aus«, holte die Wäsche aus den zwei Trocknern und warf sie in meinen Wäschekorb und ging nach oben.

Als ich durch die Tür trat, saß Barbara am Tisch.

»Wo warst du?«

»Im Keller. Mir ist eingefallen, dass ich noch Wäsche im Trockner hatte.«

Ich zeigte wie zum Beweis mit meinem Kinn auf den Wäschekorb.

Ich erwartete ein Donnerwetter: Wieso ich ausgerechnet jetzt nach der Wäsche sehen müsste, dass ich unhöflich sei, dass ich hätte Bescheid sagen müssen.

»Ich wusste nicht, ob du deine Schlüssel dabei hast, und so einfach die Tür auflassen und gehen wollte ich auch nicht. Jedenfalls ist meine Straßenbahn jetzt weg. Die nächste fährt erst in einer halben Stunde und dann ist es zu spät für den Film.«

Sie kam auf mich zu. Zwei Handbreit vor mir blieb sie stehen, griff in den Korb, fischte sich das Telefon heraus und wählte wie selbstverständlich eine längere Nummer.

»Hallo. Ich bins … nein, ich schaffe es nicht mehr. Die Straßenbahn ist weg … nein, zu Fuß klappt es auch nicht mehr … ist nicht schlimm … viel Spaß euch beiden … ja, bis Montag … Tschüss.«

Sie hatte also ihren Film verpasst, weil ich die ganze Zeit im Keller gewesen war. Ich wartete immer noch auf das Donnerwetter. Ich stellte den Wäschekorb aufs Bett neben ihren Mantel und fing an, meine Handtücher zu falten. Natürlich kam ich mir doof dabei vor, aber mir fiel nichts zu sagen ein und ich konnte auch schlecht herumstehen und auf den Boden starren.

Sie beobachtete mich, kam dann auf mich zu. Ich dachte, sie nimmt jetzt ihren Mantel und geht, ohne ein Wort zu sagen. Aber sie stellte sich neben mich und fing auch an, wortlos Handtücher zu falten.

Was dachte sie jetzt von mir? Sollte ich mich entschuldigen? Wieso meckerte sie nicht?

»Ich komme Mittwoch zum Kochen ... wenn David dann auch Zeit hat«, sagte ich in meiner Anspannung. »Tomate, mein Freund aus Frankfurt, fährt doch morgen schon nach Hause.«

»Das ist schön«, sagte sie. Es klang aber nicht ironisch. Wenn ich »Das ist schön!« sagte, war es nie etwas anderes als gehässige Ironie. Sie sagte es so, dass es auch schön klang.

Der Schlafanzug mit den fröhlichen Elefanten kam unter den Handtüchern zum Vorschein und sie lachte.

»Törööööööööö«, rief sie.

»War ein Geschenk«, sagte ich, um zu betonen, dass dieser Elefanten-Anzug nicht auf meinem Mist gewachsen war.

»Ist doch schön«, sagte Barbara, während sie ihn zusammenfaltete.

Tomate hatte ihn mir vor zwei Jahren zum Geburtstag geschenkt. Und da ich kaum Schlafanzüge besaß und er so flauschig war, zog ich ihn ständig an.

Wie soll jemals eine Frau bei mir übernachten, wenn Tomate mir solche Schlafanzüge schenkt, dachte ich säuerlich. Tomate verschenkte immer so komisches Zeug: Schlafanzüge mit Elefanten, Socken mit Weihnachtsmännern, Schals mit Ottifanten. Aber diesmal war mir aufgefallen, dass er nicht so schlecht wie sonst gekleidet war. Er hatte einen schwarzen Pullover und eine graue Stoffhose angehabt. Schlicht, aber elegant. Kam das durch die Arbeit oder durch Birgit? Vielleicht schenkte er mir dieses Jahr einen eleganten Schlafanzug? Einen, der gut genug war, um ihn vor einer Frau zu tragen.

Auf einmal fielen mir die ausgeleierten Unterhosen ein. Sie lagen weiter unten im Korb. Ich nahm den Korb und stellte ihn in den Kleiderschrank.

»Was machst du?«, fragte Barbara. »Da war doch noch so viel drin.«

»Den Rest muss man nicht falten«, erklärte ich.

»Wieso nicht?«

»Weil die Sachen gebügelt werden müssen.«

»Aber da waren doch gar keine Hemden dabei.«

»Doch!«, behauptete ich und setzte mich wieder an den Tisch.

Hoffentlich wirft Gretel David wieder aus der Wohnung, dachte ich.

»Ich nehme die nächste Straßenbahn nach Bethel. Die kommt in zehn Minuten. Kommst du mit und bringst mich nach Hause?«

Wieso soll ich sie nach Hause bringen, wenn sie mit der Straßenbahn fährt, dachte ich.

»Zu so einer Zeit fahr ich nicht gern allein Straßenbahn. Manchmal sitzen seltsame Menschen drin«, sagte sie, als hätte ich ausgesprochen, was ich nur gedacht hatte.

Die seltsamsten Menschen triffst du doch bei deiner Arbeit, dachte ich weiter. Wie kann man in der Klapse arbeiten, wenn man so ängstlich ist?

»Willst du denn schon fahren?«, fragte ich.

Das sagt man halt so aus Höflichkeit. Ich fieberte ihrem Weggehen entgegen und diese Floskel hieß im Grunde nichts anderes als »Geh endlich!«

»Gut, dann bleibe ich noch. Die letzte Straßenbahn fährt in einer Stunde.«

»Was!«

»Ich soll also doch gehen?«

»Nein, natürlich nicht«, behauptete ich, meinte aber damit »Ja, am besten sofort.«

Ich war fertig mit den Nerven. Erst Tomate mit Birgit, dann Audrey Hepburn in meiner Wohnung und das auch noch ohne David.

Sie wollte es anscheinend nicht verstehen. Zurück am Tisch schlug sie vor: »Lass uns doch die andere Flasche aufmachen.«

Sie zeigte mit ihren Augen auf den Bordeaux, den sie mitgebracht hatte.

Nervengift – genau das Richtige, dachte ich. Aber ich musste aufpassen. So betrunken wie letztes Mal durfte ich nicht werden. Ich zog den Korken und füllte die Gläser zur Hälfte. Der Wein schmeckte besser als meiner.

Noch eine Stunde, dachte ich. Sechzig Minuten. Zeit für tausend gesprochene Worte, die mir aber nicht einfielen.

Außerdem hatte ich dummerweise schon für Mittwoch zugesagt und ich wusste nicht, wie ich mich rausreden sollte. Essen! fiel mir ein.

»Hast du schon eine Idee, was wir Mittwoch kochen sollen? Huhn? Oder nur Gemüse?«

»Ich esse alles ganz gerne. Was würdest du denn gerne kochen?«

»Fragen wir doch mal David, ob er was weiß«, antwortete ich. »Wir können zu Gretel rübergehen und ihn fragen.«

»Gretel?«

»Ich meine Susie.« Zu viel Wein war doch schädlich.

Barbara wirkte gar nicht schüchtern. Es kam mir so vor, als könnte sie ohne Probleme die ganze Zeit reden und das Gespräch führen – wenn sie wollte.

»Wir können doch nicht so spät bei Susie anklopfen. Die beiden schlafen bestimmt schon.«

»Ich weiß ja, in welchem Appartement sie wohnt. Ich könnte rausgehen und nachschauen, ob da noch Licht brennt.«

»Du kommst ja auf schnuckelige Ideen.« Barbara lächelte.

Wieso »schnuckelig«? Sie wollte also nicht, dass ich rausging und nachsah? Ich trank noch einen Schluck Wein. Mir kam eine Erleuchtung, als ich an David dachte. Frauen mögen es, wenn man sich für sie interessiert, hatte er gesagt. Er hatte Gretel beim ersten Treffen gefragt, ob sie im Wohnheim wohnte.

»Wie groß ist deine Wohnung?«

Sie lächelte wieder. Frauen schienen gern nach ihren Wohnungen gefragt zu werden.

»Ich habe eine Wohnküche, ein Wohnzimmer und ein Schlafzimmer. Das Wohnzimmer ist ein Durchgangszimmer.«

»Wie viel Quadratmeter?«

Ich wusste noch nicht einmal, wie viel ich hatte. Fünfundzwanzig?

»Fünfzig.«

»Doppelt so groß wie meine Wohnung also.«

»Ja, so ungefähr.«

Sie hat also keinen Freund, vermutete ich, und wenn sie einen hat, wohnt sie zumindest noch nicht mit ihm zusammen.

Ich stellte merkwürdigerweise fest, dass ich erleichtert war.

»Meine Wohnung ist ganz schön«, sagte sie. »Und eine Wohnküche wollte ich schon immer haben.«

»Ist meine Wohnung auch schön?«

Sie schaute sich nach allen Seiten um, als hätte sie sich noch kein Bild davon gemacht.

»Na ja«, sagte sie, »es sieht ein wenig karg aus.«

»Karg?«

»Na ja, so ein bisschen uneingerichtet, wenig Persönliches.«

»Die Möbel waren schon hier drin. Dann kann ich doch keine eigenen kaufen.«

»Das meine ich nicht«, erklärte sie. »Dein Zimmer ist so farblos. Wie wärs mit einigen Pflanzen, Lampen oder bunten Bildern an der Wand?«

Ich soll mir also Einstein an die Wand hängen, dachte ich säuerlich. Aber der war ja nicht bunt.

»Ich hab nichts Buntes.«

»Dann häng doch den bunten Schlafanzug an die Wand«, sagte sie und lachte.

Hat sie zu viel getrunken?, fragte ich mich. Warum auch nicht. Dann fällt ihr wenigstens nicht so auf, dass ich ein Langweiler bin.

Aber es stimmte. Es gab keine Farbe in diesem Zimmer. Die Wohnheim-Möbel waren alle weiß, die Wände waren weiß, der Teppich altmodisch braun.

Ich starrte auf die weiße Tischplatte, dann auf Barbaras hochgesteckte Haare.

Trotz des Alkohols klopfte mir das Herz bis zum Hals.

»Und weißt du, wie du aussiehst?«, fragte ich.

»Vielleicht.«

Schließlich hat sie mir auch gesagt, ich sähe aus wie ein bestimmter Schauspieler, dachte ich.

»Wie Audrey Hepburn.«

Ich hoffte, sie würde auch mal rot werden.

»Ja, das stimmt«, sagte sie nicht besonders geschmeichelt. »Das haben mir schon viele Leute gesagt.«

Ich war nicht der Erste, der ihr das sagte? Ich fühlte mich immer jämmerlicher.

»Soll ich den Fernseher anmachen?«, fragte ich.

»Wozu den Fernseher anmachen? Wo wir beide doch schon wie Schauspieler aussehen!«

Leider fehlt mir das Drehbuch, dachte ich.

Wie machen die anderen das immer, fragte ich mich. Wieso war das für andere nicht anstrengend? Was redete Tim mit den Frauen? War er so erfolgreich, weil er kluge Dinge sagte?

Als meine dicke Ex-Nachbarin angeklopft und sich selber zum Essen eingeladen hatte, war ich auch stumm gewesen. Ich aß meine drei Teller Spaghetti und war zufrieden. Angespannt war ich nicht. Sie quasselte und quasselte. Irgendwann ging sie mir nicht mehr auf die Nerven. Ich hörte gar nicht mehr zu. Irgendwann schaltete ich den Fernseher ein. Sie quasselte noch ein Zeit lang weiter, bis sie es merkte und endlich ging. Sie hatte kurze rote Haare und watschelte wie eine Ente. Und vielleicht war es die einzige Frau, bei der ich jemals Chancen gehabt hätte – wenn ich galanter gewesen wäre.

Sie klingelte noch einige Male bei mir an. Ich behauptete, unbedingt duschen zu müssen. »Du duschst aber oft!«, sagte sie einmal. Es dauerte einige Monate, bis sie begriff, dass ich gar keinen Duschzwang hatte. Ihr Aussehen war nicht das schlimmste Übel gewesen, sondern ihr Gebrabbel. Und jetzt hatte ich eine Frau vor mir sitzen, die nicht stundenlang quasselte. Genervt sein ist nicht so schlimm wie angespannt sein, dachte ich.

»Wir müssen auch gar nicht mit der Straßenbahn fahren«, sagte Barbara plötzlich. »Ich bin warm angezogen, und wenn du auch eine warme Jacke hast, gehen wir einfach zu Fuß.«

»Das ist eine gute Idee«, erwiderte ich und versuchte mir nicht anmerken zu lassen, was für eine Erlösung ihr Vorschlag war. Alle meine Probleme waren auf einmal weg.

Ich zog hastig Jacke und Schuhe an. Es ging endlich voran. Barbara nahm sich selber ihren Mantel vom Bett. Wir gingen los. Tim kam auch gerade aus seiner Tür und grüßte überfreundlich, als seien wir nicht nur Nachbarn, sondern die besten Freunde.

Ihm kam sogar ein vertrautes und deswegen übertriebenes »Wie gehts?« über die Lippen, wobei er Barbara und nicht mich ansah. Barbara lächelte strahlend zurück.

Als wir draußen waren, sagte sie: »Dein Freund ist ja nett.«

»Er ist weder nett noch ist er mein Freund!«

Ich ärgerte mich wieder über die Frauen. Wie konnten sie nur alle auf Tim und seine künstliche Freundlichkeit reinfallen? Gab es für sie nichts außer Galanterie?

Barbara lachte. Ich wusste nicht weswegen.

Es war wirklich kalt draußen, weit unter null Grad. Ich steckte die Hände in die Taschen und presste meine Arme dicht an meinen Körper. Ich dachte an die Barbara, die mal Boris Beckers Frau gewesen war. Die Audrey-Hepburn-Barbara sah ganz anders aus.

Wenn man die Straßen entlanggeht, muss man sich nicht überlegen, was man mit den Beinen und Armen machen soll, wo man seinen Blick hinlenkt, noch nicht einmal, was man reden soll.

Das Schweigen, wenn man sich gegenübersitzt, muss vertrieben werden wie eine lästige Fliege. Das Schweigen beim Spazierengehen ist aber wie ein Schmetterling, der einen begleitet.

Sie ging recht zügig. Ich musste mich ihrem Tempo anpassen, wodurch mir wärmer wurde. Wir gingen hoch zur Detmolder Straße. Sie führte auf die Artur-Ladebeck-Straße und von dort aus würde es irgendwann links hoch nach Bethel gehen. In dieser Dunkelheit kam mir die Welt unwirklich vor. Erleuchtet von künstlichem Licht, kalte Luft einatmend, begab ich mich auf den Weg zu den Epilierern. Bisher hatte mich nichts und niemand dazu bewegen können, dorthin zu gehen. Heute ging ich so nebenbei hin, um die Schwester des Freundes einer grässlichen Nachbarin zu begleiten. Die Welt drehte sich nicht mehr richtig.

Wenn die Helden in den Filmen die schönen Frauen nach Hause begleiten, wollen sie mit hoch, um einen Kaffee zu trinken. Oder die Frauen laden die Männer noch zu einem Drink ein. Ich würde auf keinen Fall mit in Barbaras Wohnung gehen, nahm ich mir vor. Selbst, wenn sie mich darum bitten würde. Nach einer langen Zeit des Wartens saß sie mir endlich nicht mehr gegenüber und darüber war ich froh.

Ich sah schon die Straßenbahnstation »Bethel–Gadderbaum«. Ein paar Meter weiter mussten wir nach links abbiegen und dort fing dann auch schon Bethel an. Ich hoffte, dass wir nicht allzu weit rein mussten. Aber wir gingen die Straße hoch und nichts deutete darauf hin, dass wir bald da waren.

Ich hatte das Gefühl, dass es plötzlich eiskalt wurde. Dass alle Verrückten hinter Sträuchern und Mauern lauerten und darauf warteten, auf den Bürgersteig zu springen, um vor meinen Augen zu zappeln und »Einstein« zu rufen. Ich dachte an die Schwester meiner Mutter und die steile Treppe, die fast eine Leiter war: »Du musst dich zusammenreißen.« Ich hätte mich am liebsten bei Barbara eingehakt oder ihre Hand genommen. Aber wenn sie mich weggeschubst hätte?

Stumm ging ich neben ihr weiter.

Wir kamen zu einem Gebäude, das gar nicht nach einem Wohnhaus aussah. Anstatt den Weg zur Haustür zu gehen, überquerte Barbara eine unbeleuchtete Rasenfläche. Sie ging immer schneller, kämpfte sich durch ein Gestrüpp und blieb mitten zwischen mehreren Büschen stehen.

Ich dachte, das macht die Umgebung. Jeder, der Bethel betritt, wird automatisch verrückt.

Das Haus hatte viele Zimmer. Einige waren noch hell erleuchtet. Es hingen keine Gardinen an den Fenstern. Die Zimmer im Erdgeschoss konnte man gut einsehen. Neben den großen Fenstern befanden sich Terrassentüren, die auch nicht verhängt waren.

Spielte sie Detektivin? Wollte sie jemanden beobachten? Ich war nur mitgekommen, um sie nach Hause zu bringen. Wenn sie mutig genug war, sich nachts durch unbeleuchtetes Gestrüpp zu zwängen, hätte sie ruhig allein gehen können, denn mir war kalt und mich gruselte es langsam.

Sie sagte immer noch nichts, gab keine Erklärungen für diesen abstrusen Schlenker ab. Ihre Haare rochen nach Apfel, sie schaute zu den beleuchteten Fenstern hinüber. Sie sah zwar aus wie Audrey Hepburn, aber langsam reichte es. Ich kam mir vor wie ein schmieriger Spanner.

»Was machen wir hier?«, platzte ich heraus. »Beobachtest du deinen Ex-Freund oder sonst wen? Kann ich jetzt wieder nach Hause gehen?«

Ich wunderte mich über den Redeschwall und auch über meinen Mut, sie zu beschimpfen.

Sie schaute immer noch geradeaus, so als hätte sie mich nicht gehört.

»Wir sind da«, sagte sie dann.

»Du wohnst also doch hier«, fiel mir nur ein. Woher sollte ich denn ihr Wohnhaus kennen?

»Vor uns liegt der Sonnenhof«, sagte sie immer noch geradeaus schauend.

Der Wind fuhr mir wie eine kalte Hand durchs Haar. Ich wartete darauf, dass plötzlich durchsichtige Gespenster von den Bäumen herunterkamen und mich im Gebüsch entdeckten.

Ich nahm meine Hände aus den Taschen, um die Kälte zu spüren.

Sonnenhof, dachte ich. Das Gebüsch kam mir nicht mehr fremd vor. Ich irrte nicht irgendwo in Bethel herum. Wir befanden uns nicht vor Barbaras Wohnung. Ich schaute sie an. Sie hatte ihren Kopf nun zu mir hingedreht und sah mich auch an. Sie wirkte unwirklich in diesem Halbmondlicht. Ich blieb stumm. Es gab nichts zu sagen.

»Du bist der Sohn von Frau Müller«, sagte sie.

Ich war nicht bei ihr zu Hause. Meine Mutter war hier zu Hause.

In Filmen schlafen die Menschen einfach ein, wenn sie im dunklen stürmischen Meer treiben und ihre Kräfte nachlassen, dachte ich. Und wachen immer an einem schönen Sandstrand bei gutem Wetter wieder auf.

76

Schon in meiner Kindheit hatte ich mich immer gefragt, weshalb die Menschen nicht ertranken, wenn sie im Meer einschliefen, und wie man im Sturm überhaupt schlafen konnte. In Filmen ging immer alles einfach weiter.

Wäre das eine Filmszene gewesen, hätte ich jederzeit aus der Rolle des Patrick Müller herausschlüpfen und als der Schauspieler Hans Meyer nach Hause gehen können.

Ich stand nach vierzehn Jahren vor dem Zuhause meiner Mutter. In vierzehn Jahren hatte ich kein einziges Mal vor dem Grab meines Vaters gestanden.

Meine Mutter hätte gar nicht erst bei den Willmers anrufen müssen. Niemand hielt sie in diesem Gebäude fest, sie lebte im offenen Bereich. Sie durfte in die Stadt gehen. Sie hätte unangemeldet vor der Haustür der Willmers, vor der Uni oder vor dem Wohnheim stehen können. Sie hatte es nie getan und plötzlich war ich ihr dankbar dafür. In diesem Augenblick stellte ich fest, es war nur Zufall gewesen, dass ich ihr nie über den Weg gelaufen war. Bielefeld ist keine Millionenstadt.

Ich schaute durch eine Terrassentür. Verrückte haben keine Gardinen, dachte ich. Ich hatte auch keine, aber ich wohnte ja nicht im Erdgeschoss.

In dem Zimmer war niemand. Ich sah ein Regal, eine graue Zimmertür. Wahrscheinlich führte sie auf einen Flur. Das Bett war nicht sichtbar, es musste an der Fensterseite stehen. Die Zimmerdecke und die Ecken waren vergilbt von Zigarettenqualm.

»Wenn du keinen Kontakt zu ihr willst, sieh sie dir wenigstens mal aus der Ferne an«, sagte Barbara.

Ich hatte mich den ganzen Abend bemüht, höflich zu ihr zu sein und einen guten Eindruck zu machen, aber jetzt konnte sie mich mal.

»Was geht dich das alles an!«

Ich sah ihr direkt in die Augen. Sie stand nur einen halben Meter von mir entfernt.

»Typisch Pädagogen!«, schrie ich weiter. »Was soll das hier werden! Eine Familienzusammenführung? Musst du immer deinen Job machen? Auch mitten in der Nacht?«

Jetzt war sie auf einmal stumm. Mir gingen die Beschimpfungen nicht aus: »Hast du zu entscheiden, ob ich meine verdammte Mutter zu sehen habe? Hat *deine* Mutter *deinen* Vater umgebracht?«

Barbara verzog keine Miene. »Du kannst ja wohl einen erwachsenen Menschen fragen, ob er das will, anstatt solche Spielchen zu spielen!«

»Du bist aber nicht erwachsen«, sagte sie.

Ich dachte, mehr fällt dir nicht ein? Das wars?

Ich fühlte weder Kälte noch Wärme. Die Welt drehte sich in alle Richtungen, nur nicht in die richtige.

Mein Blick richtete sich wieder auf das beleuchtete Fenster mit dem Regal und der grauen Tür. Die Tür ging auf und eine ältere Frau kam ins Zimmer. Sie schien sich auf das Bett zu setzen, das unter dem Fenster stand.

Ich rannte, als sei der Teufel hinter mir her. Ich rannte über eine Wiese, über einen Fußweg und den Weg entlang zu einer Straße. Ob ich nach links oder rechts laufen sollte, wusste ich nicht, Hauptsache weg, meinetwegen auch in beide Richtungen. Ich musste an meine Mutter denken.

»›Ambivalent‹ ist, wenn du in beide Richtungen gleichzeitig laufen willst«, hatte sie gesagt. Ich wollte aber nicht in beide Richtungen gleichzeitig laufen! Mir war die Richtung völlig egal.

Meine Lungen saugten die kalte Luft ein. Ich bin nicht nur von kalter Luft umgeben, jetzt dringt sie sogar in mich ein, durchspült mich von innen, dachte ich. Ich konnte nicht mehr, ich musste kurz stehen bleiben und durchatmen, weiter kalte Luft in mich einsaugen. Ich spürte, dass meine Grippe sich wieder bemerkbar machte. Mein ganzer Körper war schweißnass. Auf der Straße waren keine Menschen. Autos standen stumm an der Seite. Ich schaute mich um, aber Barbara schien mir nicht gefolgt zu sein.

Ich entschied nach rechts zu gehen, denn dort ging es bergab. Ich würde unten wieder an der Artur-Ladebeck-Straße ankommen. Von da aus wusste ich den Weg zurück.

Das Deckenlicht brannte grell herunter und Wärme strömte mir entgegen. Ich war zu Hause. Die Geschichte in der kalten Dunkelheit kam mir jetzt unwirklich vor.

Ich zog meine Jacke aus und warf sie zu Boden. Mein Anrufbeantworter blinkte. Tomate konnte es nicht sein. Er schlief bestimmt schon selig in Birgits Armen und niemand außer Tomate hatte mich jemals so spät angerufen. Es konnte also nur Barbara sein, und bei diesem Namen schlug mir das Herz bis zum Hals.

Was wollte sie? Sich entschuldigen? Ich drückte auf den Knopf und wartete auf die Antwort.

Es kam nichts, aber erst nach acht Sekunden setzte das hohe Piepsen ein. Die Nachricht war zu Ende. Sie hatte also nicht draufgesprochen. Sie hatte aber auch nicht

gleich aufgelegt, sondern unausgesprochene Worte hinter-
lassen.

Ich löschte die Nachricht ohne Worte.

Der Gin war alle. Die halb leere Flasche Wein von Barbara
stand noch da, aber es war ihr Wein. Ich konnte ihn nicht
mehr trinken.

Ich musste irgendetwas tun. Ich hatte das Gefühl, verrückt
zu werden, wenn ich nicht etwas tat.

Bei Tomates Eltern konnte ich um diese Zeit nicht mehr
anrufen. War David noch bei Gretel? Er war Barbaras Bruder.
Er hatte mir die ganze Sache erst eingebrockt, aber er hätte
mich durch seine Anwesenheit abgelenkt. Wenn man seinen
Gedanken freien Raum ließ, konnten sie einen erdrücken.

Ich nahm meinen Schlüssel und ging nach draußen. Alle
Fenster waren dunkel. Auch bei Gretel brannte kein Licht
mehr. Sollte ich trotzdem klingeln?

Mir wurde klar, dass ich niemanden hatte, der mir nahe
stand. Ich kannte niemanden, den ich nachts wecken
konnte. Und ich brauchte jetzt jemanden, irgendjemanden.
Auch wenn der Jemand nur im Zimmer saß und nichts
sagte. Ich hätte sogar viel dafür gegeben, wenn meine dicke
Ex-Nachbarin zu mir gekommen wäre und einfach lang-
weilige Dinge erzählt hätte. Alles war besser als jetzt allein
zu sein. Das Elend liebt Gesellschaft.

Ich dachte an das Knusperhäuschen, das Bordell an der
Eckendorfer Straße. Ich wollte es nicht treiben, sondern nur
jemanden dafür bezahlen, dass er mit mir in einem Raum
saß. Aber ich wusste nicht, was das kostete. Ich dachte auch
daran, eine dieser Sex-Nummern anzurufen, nicht um in
den Hörer zu stöhnen, sondern um das Gefühl zu haben: Es
ist noch jemand am anderen Ende der Leitung.

Ich hätte den Fernseher anmachen können. Ich hätte im Internet chatten können, aber dort sind die Leute noch schlimmer als der Durchschnitt. Die Männer graben Frauen an und Frauen warten auf ihren Traumprinzen. Ob eine Frau, die sich »Chantal« nennt, wirklich verführerischer ist als ein Mann, der sich »Hildegard« nennt, wird man nie herausfinden.

Es fuhr keine Straßenbahn mehr. Welche Kneipen hatten noch auf? Welche Diskos kannte ich? Früher war ich manchmal im *Zweischlingen* gewesen. Eine Mischung aus Kneipe und Disko. Sie hatten am Wochenende bis drei Uhr auf. Das *Zweischlingen* lag aber in Bielefeld-Quelle. Irgendeiner von den anderen Zivis hatte mich immer mitgenommen. Unter Zivis war der Laden angesagt, aber ich kannte keinen von den neuen. Diejenigen, die mit mir damals angefangen hatten, waren schon seit drei Jahren nicht mehr da. Ich war der Einzige, der noch hier wohnte.

Ich hätte Barbara anrufen können. Ihre Nummer lag noch zerknüllt in meinem Papierkorb, aber ich hätte mir lieber die Hand abgehackt. Sie war schuld, sie hatte mich ohne Rettungsring ins kalte Wasser geschubst und ließ mich nun strampeln.

Ich musste irgendetwas Verrücktes tun in dieser Nacht, um nicht verrückt zu werden.

Im Waschkeller war um diese Zeit natürlich nichts los. Tims blauer Wäschekorb stand vor einem der Trockner. Ich öffnete ihn und es war die Wäsche drin, die ich schon einmal begutachtet hatte. Ich nahm mir drei Handtücher, faltete sie und ging nach oben zu den Briefkästen. Zwei Handtücher stopfte ich in Tims Briefkasten, einen in Gre-

tels. Ich wusste zwar nicht, wozu das gut sein sollte, aber
es brachte mich auf andere Gedanken.

Ich ging wieder in den Keller, schleppte mein Fahrrad die
Treppen hoch und radelte los.

Das Haus in Schröttinghausen, in dem wir damals zur
Miete gewohnt hatten, sah völlig anders aus. Es war weiß
gestrichen. Die paar Tannen, die wir gepflanzt hatten, rag-
ten nun in die Höhe. Der alte Jägerzaun war weg. Stattdessen wurde das Grundstück von einem weißen Metallzaun eingefasst. Zwei Autos standen in der Einfahrt. Ein
blauer Smart und ein silberner Golf. Vater hatte einen
grünen Kadett gefahren.

Ich fragte mich, was für Leute da jetzt wohl wohnten. Ob
sie Kinder hatten. Ob der Flur noch genauso dunkel war.
Es war ein sehr kleines Haus, die Wohnräume lagen alle im
Erdgeschoss, die erste Etage war zugleich das Dachgeschoss, das – damals zumindest – nicht ausgebaut gewesen war und als Speicher gedient hatte.

Nirgends brannte Licht.

Alle normalen Leute schlafen um diese Zeit, dachte ich. Sie
liegen unter warmen Decken und träumen was Schönes.
Nur Verrückte bleiben die ganze Nacht wach und setzen
sich der Dunkelheit und verrückten Gedanken aus.

Ich blieb noch einige Zeit vor dem Haus stehen, dann
setzte ich mich aufs Fahrrad und fuhr zurück. Die Schröttinghauser Straße war uneben und unbeleuchtet. Ich bemerkte die Rechtskurve vor mir und den Baum am linken
Straßenrand. Bei der Hinfahrt hatte ich beides übersehen.

Ich stoppte. Dort hatte meine Mutter Einstein auf der Straße gesehen und Vater ins Lenkrad gegriffen. Dort war mein Vater ums Leben gekommen. Dem Baum war nichts anzusehen. Er war alt und knorrig.

Ich fuhr schnell weiter zu meiner Grundschule. Auch dort wirkte alles gepflegter als früher. Nur wenige Lampen beleuchteten das Gebäude. Vielleicht sahen bei Nacht alle Gebäude frischer aus. Man nimmt im Dunkeln nur das Wichtige wahr und nicht die verblassten Farben. Kein Haus braucht einen neuen Anstrich, wenn man es bei Nacht ansieht.

Eine große Rasenfläche war zugunsten eines asphaltierten Parkplatzes verschwunden. Einige Erinnerungen kamen hoch. Die grüne Schultüte, die ich am ersten Schultag bekommen hatte und kaum tragen konnte, weil sie so schwer war, gefüllt mit lauter verschiedenen Süßigkeiten. Eine dicke quadratische Tafel Schokolade mit Kokosnuss war darunter gewesen.

Ich dachte an das jährliche Sommerfest, an dem immer gutes Wetter gewesen war. Da bekamen wir alle eine Karte mit einem Band, die wir uns wie eine Kette um den Hals hängten. Auf dieser Karte waren Felder und man konnte an Spielen teilnehmen und bekam eine Bratwurst und ein Getränk. Dazu brauchte man kein Geld, denn für jede Sache gab es ein eigenes Feld, das dann einfach abgehakt wurde. Dieses Fest hatte furchtbar viel Spaß gemacht. Auch die Kindergeburtstage waren immer lustig gewesen. In der Grundschule gab es noch keine Kategorien. Ich gehörte nicht in die Kategorie »Tomate« und wurde auf viele Geburtstage eingeladen, obwohl ich selber nie feiern durfte. Meiner Mutter passte das nicht. Es gab Kuchen, Kakao und Waffeln. Danach spielte man Schnitzeljagd oder Flaschen drehen und wenn man bis zum Abend blieb, bekam man kleine Würstchen mit selbstgemachtem Kartoffelsalat.

Tomate lernte ich erst nach der Grundschule kennen.

Die Feste, die wir als Jugendliche feierten, machten weniger Spaß. Ich ging zwar kaum auf Partys, aber wenn ich mal auf einer war, gab es dort allenfalls Bier und laute Musik. Man tat lustig, weil es dazugehörte. Einige kotzten ihr Bier wieder aus und tranken dann weiter.

In der Grundschule hatte ich Freunde und einen Vater gehabt. Obwohl meine Mutter zu Hause blieb, wurde ich zum Schlüsselkind. Die erste Zeit machte sie mir noch auf und wir aßen gemeinsam zu Mittag. Aber allmählich legte sie sich mittags immer früher ins Bett und ich musste mir selber aufschließen und dabei ganz leise sein, damit ich sie nicht weckte. In der Küche lagen Butterbrote auf einem abgedeckten Teller. Später schmierte ich mir die Butterbrote selber.

Manchmal fragte ich mich, ob ich mich mittags auch hinlegen sollte, aber ich war nicht müde. Da ich einen Schlüssel hatte, konnte ich kommen und heimlich gehen, wann ich wollte. Ich traf mich oft nach dem Mittagessen mit anderen auf einem großen Spielplatz, der weiter entfernt war. Manchmal ging ich auch nach der Schule mit einem Freund mit, der Tobias hieß. Er hatte eine Mutter, die immer so viel kochte, dass ich dort mitessen durfte. Danach spielten wir in seinem Zimmer. Meine Mutter bekam gar nicht mit, wenn ich erst nachmittags wiederkam, weil sie dann immer noch schlief. Vielleicht wusste sie es aber auch und sagte nichts, weil sie dann ihre Ruhe hatte.

Ich fuhr weiter zu dem Spielplatz. Im Großen und Ganzen sah er noch so wie früher aus. Nur die Laufscheibe fehlte und es gab auch keine Seilbahn mehr, an der ein Autoreifen hing. Die große orange Rutsche war auch weg.

Dafür gab es nun einen Basketballkorb, zwei Schaukeln und ein Holzhäuschen.

Manchmal, nach einem Regen, war der Sand noch nass. Die Hosen wurden braun, wenn man die große Rutsche hinabglitt und im Sand landete. Wenn ich dann voller brauner Flecken wiederkam, regte sich meine Mutter auf. Sie sagte, ich solle mich nicht so benehmen wie ein kleines Schweinchen, und verbot mir, auf den Spielplatz zu gehen. Aber was nützten ihre Verbote, wo sie doch den ganzen Tag schlief?

Ich fuhr weiter, obwohl meine Beine schon ganz steif gefroren waren, aber das machte mir nichts aus. Zum Gymnasium wollte ich allerdings nicht, weil ich die Schulzeit dort gehasst hatte. Wenn Tomate mal krank war, und das kam relativ oft vor, dann wusste ich in den Pausen nichts mit mir anzufangen. Die anderen standen immer in Grüppchen zusammen, während ich nur darauf wartete, dass die Pause endlich vorbei war. In der achten Klasse waren auf einmal alle in der Tanzschule, außer Tomate und ich.

Wieder in der Nähe der Uni steuerte ich ein Studentenwohnheim an. Dort wohnten Frauen, für die ich mal geschwärmt hatte. Mit einer hatte ich sogar mal zusammen ein Referat gehalten. Aber danach hatte sie sich in einen Sportstudenten verliebt und wir grüßten uns nur noch kurz, wenn wir uns über den Weg liefen. Aber was wollte ich dort eigentlich in aller Herrgottsfrühe?

Mittlerweile war es schon sechs Uhr morgens und ich fuhr einfach durch mir unbekannte Gegenden in Bielefeld. Selbst in der eigenen Stadt kam ich mir plötzlich vor, als wäre ich auf einem anderen Kontinent.

Um sieben war es immer noch nicht hell. Durchgefroren und ziemlich hungrig fuhr ich zurück zum Pflegerwohnheim. Aber ich hatte keine Lust, etwas zu kochen. Um sieben hat McDonalds schon auf, fiel mir ein. Ich fuhr also weiter und packte die Papiertüte mit zwei Portionen Pommes, zwei Big Mäc, einem Fischmäc und einem McRib auf den Gepäckträger. Hoffentlich fällt das Zeug nicht auf die Straße und wird von einem Auto platt gerollt, dachte ich.

Natürlich sah ich immer noch kein Licht an Gretels Fenster.

Aber als ich dann meine Wohnungstür aufschloss, hatte ich doch keine Lust, allein zu essen. Ich ging zu Gretel und klopfte und klopfte. Nach einer Weile öffnete sich die Tür und David schaute mich mit schmalen Augen und wirren Haaren an.

Ich linste ins Zimmer hinein, aber Gretel lag nicht im Bett.

»Wo ist Gretel?«

»Hat Frühdienst«, sagte David und gähnte. »Was willst du denn um diese Zeit?«

»Es ist halb acht«, sagte ich. »Alle ordentlichen Leute sind zu dieser Zeit schon wach. Auch sonntags. Es gibt Frühstück.«

»Was gibt es denn?«, fragte David.

»Burger und Pommes«, antwortete ich und hielt ihm demonstrativ die duftende Papiertüte vors Gesicht.

»Wenn ich nachher weiterschlafen kann – wieso nicht?«, sagte David.

Es war ein komisches Gefühl, das Zimmer wieder zu betreten, aus dem ich vor wenigen Wochen rausgeflogen war. Gretel hatte sich jedenfalls kein neues Einstein-Poster besorgt. Stattdessen hing da nun ein Poster in Schwarz-Weiß, auf dem Bauarbeiter hoch oben auf einem Balken saßen und Mittagspause machten.

Frauen sind wirklich gemütlicher eingerichtet als Männer, dachte ich. Ich sah mich um, denn beim letzten Mal war mir dazu wenig Zeit geblieben. Ihr Zimmer war größer als meins. Gretel hatte ein kleines Sofa, einen gelben Sessel und einen gläsernen Couchtisch in einer Ecke stehen. Die Sitzecke war durch drei mannshohe Palmen vom übrigen Zimmer abgetrennt. Obwohl auch Gretel sonst nur die weißen Wohnheimmöbel hatte, wirkte ihr Zimmer viel einladender als meins. Über dem weißen Esstisch lag eine blau-grün karierte Tischdecke. Ein bunter Flickenteppich bedeckte beinahe den ganzen braunen Teppichboden. Ich öffnete die Tüte, legte jeweils eine Portion Pommes auf jeden Platz und sagte dann: »Nimm dir einfach aus der Tüte das, was du willst.«

»Okay«, sagte David. »Brauchst du Besteck? Einen Teller?« Ich schüttelte den Kopf und fing an zu essen.

Die Pommes und die Burger waren schon kalt, aber es schmeckte trotzdem. Langsam taute ich in der Wärme auf. Erst jetzt merkte ich, wie durchgefroren ich gewesen war. Meine Haut fing an zu kribbeln. Ich merkte, dass nicht nur meine Haut unterkühlt gewesen war, sondern auch das Fleisch darunter.

Als nichts mehr in der Tüte war, war mein Magen zufrieden. »Ich geh jetzt rüber und leg mich auch ins Bett«, sagte ich müde.

David schien im Gegensatz zu mir wach zu werden.

»Wieso stehst du so früh auf und fährst zu McDoof? Hat dich der Hunger aus dem Bett getrieben?«

»Ich war gar nicht im Bett«, erwiderte ich.

Draußen wurde es hell. Ich hatte die Nacht hinter mir gelassen. Die Besuche an den Stätten meiner Kindheit kamen mir mit einem Mal unwirklich vor. Ich verstand überhaupt nicht mehr, weshalb ich die ganze Nacht herumgefahren war. Ich hätte mich einfach ins Bett legen sollen und schlafen, dachte ich. Ja, schlafen.

»Warst du noch in der Disko?«, fragte David.

»Ja, so was Ähnliches.«

In meinem Appartement zog ich mich aus und legte mich ins Bett. Mein Kopf schien blutleer zu sein, meine Beine waren immer noch gefroren wie Hähnchenschenkel aus der Tiefkühltruhe und ich konnte mir nicht vorstellen, dass sie je wieder auftauen würden.

Mir wurde einfach nicht mehr warm. Ich stieg aus dem Bett und drehte die Heizung bis zum Anschlag auf. Dann kochte ich Wasser und füllte es in die Wärmflasche. Ich wickelte ein Handtuch darum, legte mich ins Bett und schlief endlich ein.

Zwischendurch wachte ich durch Geräusche im Hausflur auf. Türen gingen auf und knallten wieder zu, aber das war normal. Wohnheimleute sind seltsam rücksichtslos. Alle zogen die Türen mit Wucht zu, anstatt den Schlüssel reinzustecken, ihn zur Seite zu drehen, um lautlos die Türen zu schließen. Ich hörte Türglocken unter meiner Wohnung und lachende Menschen über mir. Leute, die an meiner Appartementtür vorbeigingen und sich über Ärzte unterhielten, die »Arschlöcher« waren. Ich träumte von Musikern, die ihre E-Gitarren wie Äxte auf den Boden schlugen. Kinder müssen immer laut sein, dachte ich im Schlaf. Mittags dröhnte mein Wecker. Das Zimmer war ein Backofen. Ich holte das Telefon, legte mich wieder ins Bett und rief bei Tomates Eltern an.

»Keller?«

Tomate war am Telefon.

»Ich bins, du kannst heute Nachmittag kommen, aber nicht mit Birgit.«

»Wieso das denn? Was soll das?«

»Ich hab 'ne schlechte Nacht hinter mir«, sagte ich.

»Was meinst du damit? Ich hab auch nicht gut geschlafen«, erwiderte er gereizt.

»Ich hab aber die ganze Nacht nicht geschlafen.«

»Und deswegen darf ich Birgit nicht mitbringen?«

»Ich glaube, ich hab gestern Nacht meine Mutter gesehen, dann bin ich die ganze Nacht Fahrrad gefahren bis um sieben Uhr morgens! Glaubst du, da kann ich jetzt mit dir und Birgit hier sitzen und nett plaudern?«

»Ich dachte, du findest Birgit nett!«

»Ist mir grad scheißegal, ob sie nett ist oder nicht. Kommst du oder nicht?«

Stille. Würde er kommen? Auch ohne seine Birgit?

»Ich komm so gegen drei«, gab er sich geschlagen.

Ich legte den Hörer zur Seite und schlief weiter, diesmal fester als am Morgen.

Die Türklingel weckte mich. Es war schon Viertel nach drei. Ich ging zur Tür und drückte auf den Summer. Dann ließ ich sie einen Spalt offen stehen und ging ins Bad. Während ich mir das Gesicht wusch, hörte ich die Wohnungstür zugehen. Tomate war also da. Ich zog mir einen Bademantel über und ging ins Zimmer. Es war wirklich wie in einem Backofen. Tomate stand am Tisch und zog sich seinen Mantel aus. Ich nahm den Mantel entgegen und warf ihn aufs Bett. Tomate guckte mich säuerlich an.

»Ich bin grade erst aufgestanden«, sagte ich. »Soll ich einen Tee kochen?«

»Ja, aber mach ihn mal ein bisschen stärker.«

Er ging zur Heizung und drehte sie runter, dann riss er ein Fenster auf.

»Hier drin gibts gar keinen Sauerstoff mehr«, meckerte er dabei.

Ich füllte Wasser in den Kocher und brachte zwei Tassen mit.

»Dein Nachbar ist wohl ein bisschen gaga«, sagte Tomate.

»Das stimmt«, sagte ich hocherfreut, »aber woher weißt du das?«

War er Tim im Flur begegnet und hatte ihn genauso schnell durchschaut wie ich?

Tomate und ich sind uns doch ähnlich, dachte ich. Ich hatte Tim auch auf Anhieb nicht gemocht. Ich fühlte mich erleichtert, ich fühlte mich nicht mehr so allein.

Tomate sagte: »Aus seinem Briefkasten quellen Handtücher. Wenn er keine Post will, dann soll er doch einfach den Schlitz zukleben.«

»Ja, so ist er nun mal«, sagte ich.

»Birgit sitzt zu Hause bei meinen Eltern und ist beleidigt.«

»Was hast du ihr erzählt?«

90

»Dass du eine Magen-Darm-Grippe hast und jede zweite Minute auf Toilette musst. Das sei dir unangenehm vor Frauen und deswegen würdest du heute nur alte Freunde empfangen.«

Tomate hatte manchmal wirklich gute Einfälle.

Ich setzte den Tee auf und brachte ihn zum Tisch. Dort lag eine Tüte.

»Was ist da drin?«, fragte ich ihn.

»Dein Weihnachtsgeschenk. Meinetwegen kannst du es jetzt schon aufmachen.«

»Nein nein«, sagte ich. »Ich kann damit warten.«

Natürlich konnte ich damit nicht warten, aber ich musste es ja nicht vor seinen Augen öffnen.

»Was war das noch mal mit deiner Mutter? Du hast sie gestern Nacht gesehen?«, fragte er.

Ich saß jetzt im Warmen und war ausgeschlafen. Das von gestern kam mir nicht mehr so schlimm vor. Aber ich wusste auch: Wenn Tomate wegging, würde alles wieder von vorne anfangen. Wenn es draußen dunkel wurde und alle anderen schliefen und ich nicht. Die Gedanken, tagsüber in Schach gehalten, würden sich in der Nacht wieder ausdehnen und alles niederdrücken.

»Du weißt doch, dass gestern Barbara da war, die Schwester von David. Sie wohnt in Bethel und wollte, dass ich sie nach Hause bringe. Sie hat mich durchs Gebüsch zu einem Gebäude geführt. Da konnte man in lauter Zimmer reinschauen. Vorhänge gibts da nämlich keine. »Das ist der Sonnenhof«, hat sie dann gesagt. Im gleichen Moment sehe ich eine alte Frau in einem der Zimmer und da bin ich weggerannt. Aber vielleicht war sie es ja gar nicht. Dann bin ich die ganze Nacht Fahrrad gefahren.«

Es war raus.

»Und woher weiß sie das mit deiner Mutter und dem Sonnenhof?«

»Sie arbeitet da.«

Tomate starrte auf die Tüte. Ich ließ meinen Blick wandern. Der Anrufbeantworter blinkte. Ich ging hin und spielte die aufgezeichneten Nachrichten ab. Es waren fünf, aber niemand hatte draufgesprochen. Die Anrufe mussten in der Nacht gekommen sein. Ich dachte sofort an Barbara, aber vielleicht war es ja doch jemand anderes gewesen.

»Wieso hat sie das bloß gemacht?«, fragte ich Tomate.

Er schien zu überlegen.

»Ja, wieso bloß?«, fragte ich noch mal.

»Was denkst du denn, wieso?«, fragte er zurück. »Ich kenne sie ja nicht.«

»Ich kenne sie auch nicht – nicht wirklich. Oder … sie will den Schicksalsengel spielen«, sagte ich. »Sie ist nun mal Erzieherin und hat vielleicht den pädagogischen Ehrgeiz, eine Familie zusammenzuführen. Vielleicht will sie auch einfach ihrer Patientin helfen.«

Ich fühlte wieder die Kälte der Nacht.

»Sie hätte mich wenigstens mal fragen können, ob ich sie sehen will. Aber so link und hinten herum … einen vor vollendete Tatsachen stellen … Ich bin doch kein kleines Kind! Ich bin nicht so verrückt wie ihre Patienten!«

Ihre Anrufe konnte sie sich sparen. Sie war mir nicht hinterhergerannt, dabei hätte sie merken müssen, wie fertig ich gewesen war. Sie hätte mit dem Taxi zum Wohnheim fahren können und schauen, wie es mir ging.

»Sie ist also eine Zimtzicke«, stellte Tomate fest.

Ich nickte, obwohl ich nicht der Meinung war.

»Und was nun?«, fragte er weiter.

»Das wollte ich dich doch fragen«, motzte ich.

»Und woher soll ich das ausgerechnet wissen? Ich kann dir doch nicht sagen, was du jetzt tun sollst!«

»Stell dir einfach vor, du wärst an meiner Stelle«, sagte ich wie ein Lehrer, »was würdest du dann tun?«

»Ich bin aber nicht du und ich kann mir das auch nicht vorstellen!«, meckerte Tomate. »Weiß ich denn, ob du nicht vielleicht doch deine Mutter wiedersehen willst!«

Das ist der Punkt, dachte ich.

»Natürlich will ich sie nicht wiedersehen! Du weißt doch, dass ich nichts mit ihr zu tun haben will.«

»Und wieso hat David dann auf deine Mutter getrunken?«, fragte Tomate.

»Ach, das war so ein Besäufnis.«

»Du musst ihm von ihr erzählt haben, sonst wäre er doch gar nicht auf so eine Idee gekommen.«

»Nein, das war ganz anders«, behauptete ich. Bei dem Gedanken fiel mir etwas ein. »Weißt du, ob diese psychischen Krankheiten vererbbar sind?«

»Glaubst du, du wirst jetzt wie deine Mutter?«

Ich fühlte mich ertappt, aber wie sollte man meine Frage auch sonst verstehen?

Ich schaute aus dem Fenster. Es war erst nachmittags, aber schon wieder so dämmrig, dass die Autos mit Licht fuhren. Ich schaute wieder ins Zimmer. Hier drin war es noch dunkler als draußen. Ich ging zur Tür und drückte auf den Lichtschalter. Das Deckenlicht ging an. Aber das machte das Zimmer auch nicht freundlicher.

Tomate hatte mich in letzter Zeit nicht gesehen, sonst hätte ich ihn fragen können, ob ich merkwürdiger geworden war. Er wusste nur, dass meine Mutter in Bethel war.

»Ist das denn möglich? Ist das denn wirklich vererbbar wie Rot-Grün-Blindheit?«, fragte ich ihn.

»Woher soll ich denn das wissen? Ich bin Jurist und kein Mediziner.«

»Ach nee«, sagte ich beleidigt. »Könnte ja sein, dass du irgendwann mal etwas darüber gelesen hast.«

Tomate las alle möglichen Zeitungen.

»Wenn Barbara dort arbeitet, müsste sie doch Ahnung davon haben. Frag sie doch.«

»Ich hab sie ja gefragt, aber sie wusste es nicht so genau.«

»Dann ist sie aber sehr schlecht ausgebildet«, bemerkte Tomate.

»Ist sie nicht!«

Ich ärgerte mich über die Bezeichnung »Zimtzicke« und ich ärgerte mich jetzt über das »schlecht ausgebildet«.

»Vielleicht ist es ja auch gar nicht so, wie ich denke. Vielleicht hat sie sich auch etwas anderes dabei gedacht, als sie mich da hinführte«, bemerkte ich.

»Und was?«

Darauf fiel mir auch nichts ein.

»Nehmen wir mal an, ich würde meine Mutter auf keinen Fall wiedersehen wollen, was soll ich dann tun?«

»Dann tust du einfach gar nichts.«

»Und wenn Barbara mich anruft?«

»Dann sagst du ihr, dass sie eine Zimtzicke ist, und legst auf.«

»Sie ist aber keine Zimtzicke!«

»Vorhin hast du mir noch zugestimmt«, sagte Tomate gereizt. »Und wieso ist sie auf einmal keine mehr?«

»Weil sie nun mal keine ist.«

Tomate brachte mich in meinen Überlegungen auch nicht weiter. Aber vielleicht erwartete ich einfach zu viel von ihm. Wir hatten nie über solche Themen gesprochen. Hätten wir über Jura diskutiert, wären seine Antworten hilfreicher ausgefallen.

Ich sah auf die Tüte und holte das Geschenk heraus. Auf dem Geschenkpapier waren Weihnachtsbäume mit goldenen Kugeln drauf. Dem Format und Gewicht nach musste es ein Bildband sein.

Ich bekam in diesem Jahr also keinen eleganten Schlafanzug. Ein bisschen enttäuscht war ich schon. Ich machte vorsichtig die Tesastreifen ab, um das Papier nicht zu zerreißen.

»Die italienische Küche«, las ich. Ich freute mich, gleichzeitig ärgerte ich mich. Wieso hatte er mir kein asiatisches Kochbuch geschenkt?

»Oh danke«, sagte ich.

»Ja, ich dachte, du kochst doch immer so gern Spaghetti und so was«, murmelte Tomate in der verlegenen Art, die typisch für ihn war, wenn sich jemand bei ihm bedankte.

Das Buch war noch eingeschweißt, ich legte es auf meinen Schoß und riss die Folie auf. Es war ein richtiges Schwergewicht und wog bestimmt vier Kilo. Auf dem Umschlag war eine Tomate abgebildet und ich musste grinsen. Ich würde mich immer daran erinnern, von wem ich dieses Buch geschenkt bekommen hatte. Auf jeder Seite waren Fotos. Das Buch stellte die verschiedenen Landesregionen mit ihrer jeweils typischen Küche vor. Ligurien, Piemont, Sizilien, Sardinien und so fort. Apulien und Umbrien kannte ich noch gar nicht. Rezepte waren hier und da verstreut.

Mir fiel auf einmal ein, dass ich es nicht hätte aufreißen sollen. Dann wäre es vielleicht möglich gewesen, es gegen ein asiatisches Kochbuch umzutauschen. Ich sah Tomate an. Aber dann wäre er bestimmt beleidigt gewesen, also ließ ich es bleiben.

»Was gibt es noch für Länder in dieser Reihe?«, fragte ich ihn stattdessen.

»Ich glaube Deutschland, USA, Spanien. Ich hab nicht so genau geschaut.«

»Gibts wohl auch asiatische Küche?«

»Seit wann kochst du asiatisch?«, fragte Tomate. »Ist das nicht zu kompliziert?«

Tomate traute meinen Kochkünsten also nicht. Dabei hatte er mich schon oft genug dafür gelobt.

»Wenn man Rezepte hat, ist nichts kompliziert. Und außerdem will ich zu Weihnachten eine Gans machen und was ist schwieriger als ein Gänsebraten?«

»Du willst eine Gans machen?! Wieso denn das? Wen lädst du denn alles zu Weihnachten ein? Die ganze Familie Willmer?«

»Nein, ich gehe dieses Jahr nicht hin. Ich hab keine Lust.«

»Und wer kommt zum Gänsebraten?«, fragte er.

Ich schaute wieder in dieses Riesenbuch und blätterte darin herum. Die Herstellung von Parmaschinken war eine langwierige Angelegenheit. Es war mir peinlich zuzugeben, dass niemand zum Gänsebraten kommen würde, also blätterte ich weiter bis zur Produktion der Mozzarella-Kugeln. Echter Mozzarella wird aus Büffelmilch hergestellt. Der Quark muss erst einige Zeit ruhen, bevor man ihn zerschneidet. Der Käsebruch wird mit kochendem Wasser überbrüht und dann von Hand geknetet. Der Teig muss so elastisch sein, dass er …

»Wer kommt denn nun?«, fragte Tomate wieder.

»Niemand kommt. Du musst dich ja in Paris herumtreiben.« Tomate schaute auf seine Hände. Ich sah ihm an, dass er ein schlechtes Gewissen hatte.

»Nächstes Jahr zu Weihnachten bin ich da. Und zu deinem nächsten Geburtstag nehme ich mir zwei Tage frei«, sagte er. »Aber dieses Jahr haben wir schon gebucht.«

»Ja, ist ja schon gut.«

»Wenn Barbara keine Zimtzicke ist, dann lad sie doch zum Gänsebraten ein«, schlug er vor.

»Spinnst du? Du weißt doch, was sie gemacht hat! Außerdem kenne ich sie kaum. Zu Weihnachten hat doch jeder etwas Besseres zu tun, als zu mir zu kommen! Sie hat einen Bruder und Eltern und vielleicht ja auch einen Freund, schließlich sieht sie nicht schlecht aus.«

»Du hast aber mal gesagt, sie sähe schlecht aus«, beschwerte sich Tomate.

Er war eingeschnappt, weil ich seine Idee bescheuert fand, aber dafür konnte ich nichts. Seine Idee war tatsächlich ganz schön bescheuert.

»Man kann doch auch seine Meinung ändern!«, meckerte ich zurück.

»Ach, jetzt ist Barbara auf einmal eine Schönheit!«, sagte Tomate hämisch.

»Nein, aber sie sieht gut aus. Typ Audrey Hepburn, allerdings mit blonden Haaren und grünen Augen.«

»Soso«, sagte Tomate, als hätte er mich ertappt.

»Was ›soso‹?«

»Gar nichts.«

Jetzt, wo das Buch auf meinem Schoß lag und nicht auf dem Tisch, fiel mir auf, dass etwas fehlte. Ich ging zum Vorratsschrank und rief: »Was willst du haben? Schokokekse, Lebkuchenherzen ohne Füllung, Vollwertkekse oder Prinzenrolle?«

»Ich probier mal die Vollwertkekse«, rief Tomate zurück, »aber allzu lange kann ich nicht mehr bleiben.«

Mit der Kekspackung kam ich wieder an den Tisch zurück.

»Und was soll ich Barbara erzählen, wenn sie anruft?«

»Frag sie, wieso sie diese ganze Show veranstaltet hat.«

»Das ist endlich mal eine gute Idee von dir«, sagte ich und klopfte Tomate auf die Schulter. Tomate nahm sich von den Keksen. Dabei fiel mir David ein. Vielleicht war er immer noch bei Gretel. Aber sie hatte Frühdienst gehabt, müsste also längst wieder da sein. Wenn Tomate gleich ging, konnte ich ja David zum Kekse-Essen einladen.

»Warte mal«, sagte ich zu Tomate und ging zu Gretels Zimmer. Ihr Appartement hatte die Nummer zwanzig. Ich lief das Treppenhaus hinunter und schaute auf die Briefkästen. Nummer zwanzig: Susanne Brinkmann. Ich lief wieder hoch und merkte erst jetzt, dass ich meinen Bademantel noch anhatte.

»Wo warst du?«, fragte Tomate.

»Hab was nachgeschaut.«

Ich holte das Telefonbuch. »Brinkmann«. Es gab etliche Brinkmanns in Bielefeld. Aber schließlich fand ich »Susanne Brinkmann« mit der richtigen Adresse.

»Du musst mal jemanden für mich anrufen«, sagte ich, »und zwar eine Nachbarin von mir.«

»Hast du etwa noch eine Frau vom Typ ›Audrey Hepburn‹ kennen gelernt?«

»Von wegen Audrey Hepburn. Sie ist eine Gretel-Hexe!«

»Gretel-Hexe?«, fragte Tomate, als hätte er mich nicht richtig verstanden.

»Sie sieht aus wie Gretel, kann aber kreischen wie eine Hexe.«

»Und was willst du dann von ihr?«

»David ist vielleicht bei ihr. Frag doch mal nach ihm und wenn er da ist, frag mal, ob er ein paar Kekse will.«

»Wieso gehst du nicht einfach bei ihr vorbei, wenn sie deine Nachbarin ist?«

»Das geht nun mal nicht. Sie würde mir die Tür vor der Nase zuknallen.«

Ob sie das wirklich getan hätte, stand in den Sternen. Ich wählte die Nummer und drückte Tomate den Hörer in die Hand.

»Ja hallo, Thorsten hier. Entschuldige bitte die Störung, aber ist … ist …«

»David«, flüsterte ich wie eine Souffleuse.

»… ist David bei dir? … Ach so … vielen Dank … dann ruf ich bei mal seinen Eltern an … ja, schönen Sonntag noch.«

»Und?«, fragte ich.

»Er ist nicht da. Ist vielleicht bei seinen Eltern. Er kommt erst abends um sieben zu ihr.«

Das waren ganz gute Nachrichten. Vielleicht hatte er noch nichts gegessen und Susie warf ihn wieder raus. David weigerte sich bestimmt immer noch, mit auf die Almhütte zu fahren.

Tomate schaute auf die Uhr und sagte: »Ich muss jetzt aber auch los, Birgit abholen. Ruf an, wenn du was Neues weißt wegen Barbara oder deiner Mutter.«

Langsam bekam ich schon wieder Hunger, aber es war erst kurz vor fünf. Wenn David um sieben zu Gretel wollte, konnte ich ihn vielleicht vorher abfangen. Er würde bestimmt mit der Straßenbahn kommen und direkt zum Haupteingang gehen, wo die Klingeln waren. Der Weg von der Straße zum Eingang war von meinem Fenster aus einsehbar. Wenn ich ihn dann sah, konnte ich vor meiner Tür auf ihn warten, weil er daran vorbeimusste, wenn er zu Gretel wollte – ganz einfach. Oder doch nicht. Sie würde auf ihn warten, wenn er schon geklingelt hätte. Ich musste ihn abfangen, bevor er klingeln konnte.

Ich zog mir einen Jogginganzug über. Da ich ohnehin nicht mehr rauswollte, konnte ich es mir auch bequem machen.

Wie konnte ich David überreden, nicht zu Gretel zu gehen? Sollte ich etwas kochen? Hackfleisch hatte ich nicht mehr, auch keinen Parmesan. Ich schaute in den Kühlschrank, dann in den Vorratsschrank und grübelte.

Ich nahm das italienische Kochbuch und blätterte darin, aber ich fand kein Rezept, für das ich alle Zutaten dahatte. Vielleicht hatte David auch keine Lust, bei mir zu essen, und wollte den Abend lieber bei Gretel verbringen? Schließlich kam er ja ihretwegen.

Auf dem Tisch lag noch die aufgerissene Packung Vollkornkekse. Es waren noch drei Stück drin. Ich stopfte sie in mich rein. Bis sieben war es noch eine lange Zeit. Es waren noch Tiefkühlpizzen da, aber damit konnte ich noch nicht mal David beeindrucken. Vielleicht wusste er auch etwas Neues von Barbara.

Ich kochte mir frischen Tee und schaltete den Fernseher ein. Die Kanne und meine Tasse stellte ich auf den Nachtschrank und legte mich ins Bett.

Es lief ein alter Piratenfilm, in dem sich der Anführer der Seeräuber in eine Adelige verliebte. Es war Viertel vor sieben. Die Straßenbahn kam erst in zwanzig Minuten. Sie hatte aber oft Verspätung und die Haltestelle lag ein bisschen zu weit rechts, also nicht mehr in meinem Blickfeld. Trotzdem setzte ich mich schon an den Tisch und schaute aus dem Fenster. Ich zündete ein paar Teekerzen an, und obwohl ich seit meiner Kindheit keine Weihnachtsstimmung mehr verspürt hatte, kam es mir doch so im Dunkeln mit den Kerzen sehr adventlich vor. Vermummte Menschen gingen in Grüppchen die Straße entlang. Familien, die bei den Großeltern gewesen waren und jetzt nach Hause gingen. Manche trugen Tannenzweige mit sich. Ich roch förmlich den Duft der grünen Tannennadeln.

Als ich noch klein war, hatten wir immer einen echten Tannenbaum gehabt. Morgens, am Heiligabend, hatten meine Eltern schwere Bücher auf die Äste gelegt, damit sie sich senkten und der Baum mehr in die Breite ging. Über den Tannenduft wunderte ich mich jedes Mal. Auf der bauchigen Schaumbadflasche waren auch Tannen abgebildet, aber wenn man dann badete, roch es ganz anders als die wirkliche Tanne. Später bestand meine Mutter darauf, einen Plastikbaum zu kaufen, weil der echte zu viel Arbeit machte. Sie fluchte oft über die abgefallenen Nadeln, und so wie sie »Kinder müssen immer laut sein!« sagte, sagte sie auch: »Tannen müssen immer nadeln!«

Ich sah David auf das Wohnheim zukommen, schlüpfte in meine Hausschuhe und lief nach unten. Zu spät, er kam mir im Treppenhaus entgegen.

»Hast du 's eilig?«, fragte er mich.

»Hast du schon geklingelt?«, fragte ich zurück.

Was für eine doofe Frage. Wenn er nicht geklingelt hätte, stünde er nicht im Treppenhaus, sondern noch vor der Tür.

»Wieso hätte ich bei dir klingeln sollen?«, fragte er und grübelte. Wahrscheinlich überlegte er, ob wir verabredet waren.

»Nein, du hast bei Gretel geklingelt«, stellte ich fest.

»Ich hab nirgendwo geklingelt, ich hab Gre… äh … Susies Zweitschlüssel.«

Er hielt ihn noch in der Hand, an einem Schlüsselbund.

Einerseits freute ich mich, denn Gretel wusste also noch nicht, dass er schon da war. Andererseits ärgerte ich mich, weil sich die beiden anscheinend doch besser vertrugen, als ich vermutet hatte.

»Hast du schon gegessen?«

»Nö, Susie wollte etwas machen. Hast du etwa auch was gekocht?«

»Gretel kann kochen?«

»Nö, sie hat bestimmt nur paar Butterbrote geschmiert.«

Ich war ganz schön enttäuscht. David würde also zu Susie gehen.

»Es ist doch Sonntag«, sagte ich, »da muss man sich doch was gönnen und was Anständiges essen.«

»Und das wäre?«

Ich überlegte, aber mir fiel nichts ein.

»Komm doch mal mit«, sagte ich und schlurfte zu meinem Appartement.

Als wir drinnen waren, schlug ich vor: »Ruf doch bei Gretel an und sag, du kannst nicht kommen.«

»Wieso sollte ich das tun?«, fragte er und schaute mich mit seinem Dackelblick an.

»Du hast doch wohl an einem Sonntagabend keine Lust auf Butterbrote!«

Manche Leute stehen nicht auf Brote. Sie essen am liebsten dreimal am Tag warm. David gehörte dazu, das spürte ich.

»Nö, eigentlich nicht«, sagte er geschlagen, »und außerdem sind einige von der Truppe da, die mit auf die Almhütte fahren. Die werden sich den ganzen Abend über die Fahrt unterhalten.«

»Genau!«, sagte ich zustimmend, »dann lass uns doch lieber irgendwo zusammen essen gehen.«

David holte sein Portemonnaie aus der Hosentasche, schaute rein und nickte.

»Es reicht noch. Aber was soll ich denn Susie sagen?«

»Kopfschmerzen, Masern oder sonst was.«

Er überlegte und nahm den Hörer.

»Äh, hier ist David … äh … nein … ich hab Kopfschmerzen, vielleicht erwischt mich die Grippe … äh … nein, ich bleib erst mal hier bis … äh … ich ruf dich nachher noch mal an und sag Bescheid, ob ich noch komme … bis später …«

Sein Gesicht war knallrot.

»Ich wusste gar nicht, dass ich so gut lügen kann«, sagte er dann. Die Situation war ulkig: David war höchstens zehn Meter Luftlinie von Gretel entfernt, kam mit ihrem Schlüssel ins Haus, rief an und behauptete, er sei bei seinen Eltern.

Ich gackerte, als sei ich betrunken. David schaute wieder wie ein Dackel.

»Lass dich bloß nicht im Treppenhaus erwischen«, empfahl ich ihm überflüssigerweise.

»Was sollen wir denn jetzt essen?«, fragte er mich, als gäbe es nichts Wichtigeres.

»Du isst doch gerne asiatisch«, sagte ich.

David überlegte. Man konnte ihm ansehen, dass er in seinen Gedanken verschiedene Lokale durchging.

»An der Heeper Straße gibts ein chinesisches Restaurant, das *Peking* heißt. Meistens ist da nicht so viel los, aber die Portionen sind riesig. Das Essen kommt auf Warmhalteplatten.«

»Hört sich doch ganz gut an«, sagte ich. Und »Warmhalteplatten« klang gemütlich. Ich war noch nie chinesisch essen gewesen. Auswärts aß ich immer nur Lasagne oder Döner. Ab und zu gab es in der Mensa »Frühlingsrolle mit Huhn«, das ganz gut war. Oft kaufte ich mir auch tiefgekühlte Frühlingsrollen, die man nur in den Ofen schieben musste, aber komischerweise war ich nie auf die Idee gekommen, mal »richtig« chinesisch essen zu gehen.

»Wir können doch Barbara fragen, ob sie mitkommen will«, schlug David vor.

»Nein!«

David schaute verdutzt.

»Habt ihr euch gestritten?«

»Streiten kann man es nicht nennen. Obwohl – am Ende hab ich sie doch noch ganz schön beschimpft.«

»Du kommst auch mit keiner Frau klar«, sagte David.

Wenn man auch nur so komische Frauen wie Gretel oder deine Schwester trifft, dachte ich. Aber ich wollte meinen Essensgefährten nicht vertreiben und sagte stattdessen: »Ich erzähls dir nach dem Essen.«

Barbara hatte ihm also nichts erzählt. Dabei hatte ich gehofft, von ihm Neuigkeiten zu erfahren.

104

»Zu Fuß brauchen wir ungefähr eine halbe Stunde«, sagte David und schaute auf meinen Jogginganzug. »An deiner Stelle würde ich mir aber was andres anziehen.«

»Klar«, sagte ich, nahm eine ungebügelte Hose und einen Pullover aus dem Kleiderschrank und ging damit ins Badezimmer. Als ich rauskam, schlug ich vor: »Wir können auch mit dem Fahrrad hinfahren.«

»Wie das denn? Ich bin doch mit der Bahn hier.«

»Du kannst ja auf dem Gepäckträger mit.«

»Bei dieser Kälte auf dem Fahrrad?«

»Stell dich nicht so an. Ich bin gestern die ganze Nacht durch die Gegend gefahren.«

»Was? Mit Barbara auf dem Gepäckträger?«

»Natürlich nicht.«

Wie kann man nur auf so verrückte Ideen kommen, dachte ich.

Als David meine Wohnungstür öffnete, lugte er erst mal raus und sah wie ein Spion in beide Richtungen.

»Die Luft ist rein«, sagte er dann leise und flitzte den Flur entlang. Ich musste noch meine Tür abschließen, während er draußen vor dem Haupteingang wartete.

»Endlich!«, begrüßte er mich, als hätte ich eine Stunde gebraucht. »Susie ist bestimmt stinksauer, wenn sie mich hier erwischt.«

»Ist sie dann wieder eine ganze Woche lang sauer?«, fragte ich.

»Diese Aktion reicht für zwei Wochen. Bist du morgen in der Uni?«

»Weiß nicht. Vielleicht, vielleicht auch nicht.«

»Wieso nicht? Du studierst doch Jura, oder nicht?«

»Eigentlich schon. Aber ich hatte jetzt länger Grippe. Außerdem weiß ich sowieso nicht, ob ich überhaupt Jurist werden will.«

»Was würdest du denn lieber werden?«, fragte er.

Ich überlegte, aber mir fiel nichts ein. Nicht jeder Mensch hat eine Berufung, dachte ich. Es klingt nur nach Selbstverwirklichung, wenn Leute behaupten, ihr Beruf würde ihnen Spaß machen. Ich war weder sprachlich begabt noch mathematisch. Ich hatte keine besonderen Talente.

»Lottomillionär«, antwortete ich. »Dann würde ich mir ein kleines Haus in einem warmen Land kaufen, am Strand spazieren gehen und auf der Terrasse grillen.«

»Das wollen doch alle«, sagte David.

»Na und! Deswegen muss es ja noch lange nicht falsch sein. Ich weiß schon, dass ich als Vorspeise eine Frühlings-rolle nehme.«

»Ich nehme eine Wan-Tan-Suppe.«

»Was ist das?«

»Kennst du denn nur Eisbein und Sauerkraut?«, witzelte David.

Sollte ich schon wieder damit angeben? Eigentlich sprach nichts dagegen.

»Von wegen! Dieses Jahr mache ich zu Weihnachten einen Gänsebraten«, verkündete ich stolz.

»Nein, wirklich?«

»Klar.«

»Meine Mutter hat noch nie eine Gans gemacht«, sagte David, als wolle er seiner Mutter daraus einen Vorwurf ma-chen. »Die sind doch riesig, diese Dinger. Und die müssen den ganzen Tag im Ofen schmoren.«

»Kommt drauf an«, sagte ich. »Ich hab mir einmal so ein Rezept aus der Fernsehzeitschrift ausgeschnitten, da steht: bei fünf Kilo dreieinhalb Stunden.«

»Mannomann!«, sagte David. »Fünf Kilo! Wer soll das denn alles essen!«

»Weiß ich auch nicht«, sagte ich. Ich stellte es mir wieder vor: Ich alleine mit der Riesengans, umgeben von dunklen Appartements im Wohnheim, während in allen anderen Häusern Weihnachtslieder ertönten und Geschenke ausgepackt wurden. Das einzige Geschenk für mich lag schon ausgepackt auf meinem Tisch.

Im China-Restaurant war nur ein Tisch besetzt. David steuerte zielstrebig auf eine Ecke ganz hinten zu. Wahrscheinlich hätte ich mir denselben Tisch dort ausgesucht. Er war durch ein Aquarium von den anderen abgetrennt. Als ich mir die Jacke auszog und mich hinsetzte, merkte ich, dass es noch nicht mal nach Aquarium roch, und der Platz gefiel mir gleich noch viel besser. David saß so, dass ich gleichzeitig die Fische im Blickfeld hatte, wenn ich ihn ansah.

Wir bekamen die Speisekarten und einen Aperitif.

»Was isst du?«, fragte ich David.

»Wan-Tan-Suppe und Ente mit Bambus und Morcheln.«

Ich entschied mich, dasselbe zu essen und auf die Frühlingsrolle zu verzichten.

Diese Wan-Tans waren glitschig, aber gut, die Entenstücke saftig und dabei knusprig. Wir bestellten dreimal gebratenen Reis nach. Danach war ich satt für einen ganzen Monat.

»Komm, lass uns noch gebackene Banane mit Honig essen«, forderte David mich auf.

Ich hatte nichts dagegen. Selbst wenn man sich nur noch vorkommt wie eine pralle Kugel, kann man komischerweise immer noch was Süßes hinterher essen.

»Und wieso hast du dich mit Barbara gestritten?«

Ich beobachtete die goldenen Fische im Aquarium. Wenn wir Fische in diesem Aquarium wären, könnten wir uns gar nicht mehr aus dem Weg gehen, dachte ich.

»Sie hat gesagt, ich soll sie nach Hause bringen, und stattdessen läuft sie mit mir zum Sonnenhof.«

»Wieso? Sie wollte doch ins Kino.«

»War sie aber nicht. Sie hat die Straßenbahn verpasst.«

David schaute auf seinen Dessertteller. Es waren nur noch Honigkleckse drauf.

»Ist doch logisch, dass man sauer wird, wenn andere so link zu einem sind, oder?«

»Äh, vielleicht … bin ich dran schuld«, stotterte David.

Aha, ein Komplott!, dachte ich.

»Nachdem wir uns in der Straßenbahn gesehen haben … als ich dir Barbaras Nummer gegeben hab, hat sie mich gefragt, was du denn von ihr wissen willst, und da hab ichs ihr halt erzählt. Ist ja bestimmt auch kein Geheimnis.«

»Was?«

»Äh, die Geschichte mit dem Gin und so weiter. Ich hab ihr erzählt, dass es anscheinend ein Problem für dich ist, deine Mutter nicht zu sehen.«

»Was!«

David hatte ihr alles erzählt! Wie peinlich! Nie mehr würde ich Barbara in die Augen schauen können.

»Wie kannst du nur so was tun! Und ich dachte, du wärst mein Freund!«

Während ich den Satz aussprach, kam er mir auch schon falsch vor. Es war mir peinlich, dass ich ihn als »Freund« bezeichnet hatte. Er war der Freund von anderen, der Bruder von Barbara. Aber das Wenige, das uns verband, war noch nicht genug, um es in ein Wort zu packen. Nur einsame Menschen sprechen von anderen gleich als »Freunde«.

Ich wartete auf das »Wir sind aber keine Freunde«, aber es kam nichts. Vielleicht war David nicht taktlos genug, um es auszusprechen. Er schaute wieder auf den Teller vor sich, seine halblangen Haare fielen ihm vors Gesicht. Er sah aus wie ein Dackel mit herabhängenden Ohren. Ich wartete, aber er sagte immer noch nichts.

Die Goldfische schwammen elegant aneinander vorbei. Sie bildeten keine Grüppchen. Sie schwammen gemütlich hin und her und waren dem einen genauso nah wie dem anderen.

Draußen war es noch viel kälter geworden.

»Du darfst Barbara keinen Vorwurf draus machen. Ich glaube, sie mag dich«, sagte David.

Quatsch, dachte ich.

David hatte sie also eingeweiht. Trotzdem war ich sauer auf Barbara und nicht auf ihn. Sie hatte mich schließlich zum Sonnenhof geführt.

Als ich in die Wohnung kam, fiel mein erster Blick wieder auf den Anrufbeantworter. Es waren wieder zwei Anrufe drauf. Und es war wieder nichts zu hören. Ich verspürte den Drang, mich mit Gin volllaufen zu lassen.

David nahm das Telefon und rief Gretel an.

»Ja, ich bins ... nein ... ja ... jaha ... äh ... nee ... ja, besser ... besser nicht ... ja, ich ruf dich dann morgen noch mal an ... ja ... ich dich auch.«

»Gehst du heute gar nicht mehr rüber?«, fragte ich.

»Nee, ich hab mich noch weiter krank gemeldet. Sie hat immer noch Besuch. Soll ich mal bei Barbara anrufen?«

»Nein!«

Aber das Telefon klingelte. Es lag vor David auf dem Tisch. Ich starrte es nur an und machte keine Anstalten, es in die Hand zu nehmen. Erst als David es gerade nehmen wollte, griff ich dann doch selbst danach.

»Müller?«, meldete ich mich.

»Ja, hier ist Barbara.«

Mir fiel nichts ein. Gestern hatte ich schon alles gesagt. Ich hätte mich nur wiederholt. Dann fiel mir doch etwas ein: »David ist hier.«

»Gib ihn mir doch mal.«

Ich drückte David den Hörer in die Hand.

»Ja? ... äh Mittwoch? Bei dir? ... Ja, wieso nicht ... wenn du es dann weißt ... ja ... bis dann.«

Er drückte auf »Aus«.

»Hey, wollte sie gar nicht mehr mit *mir* sprechen?«, fragte ich ihn. Sie hatte doch bestimmt nicht seinetwegen angerufen. Schließlich war es reiner Zufall, dass er hier war.

»Äh ... ja, da hast du Recht. Aber das ist so ein Reflex, wenn ich ›Tschüss‹ sage. Dann lege ich auch gleich auf. Soll ich sie noch mal anrufen?«

»Nein, nein«, sagte ich.

»Ihr habt euch Mittwoch zum Kochen verabredet. Sie wollte wissen, ob ich auch komme«, informierte mich David.

»Mittwoch? Kochen? Mit ihr?«

»Oder nicht? Ihr wolltet doch asiatisch kochen.«

Ich erinnerte mich wieder. Aber inzwischen war doch so viel passiert! Hatte sich nicht alles geändert? Barbara kam mir immer abstruser vor. Ich war gar nicht auf den Gedanken gekommen, für Mittwoch abzusagen, weil mir nicht in den Sinn gekommen war, dass wir uns nach alledem überhaupt noch treffen würden.

»Deine Schwester ist komisch«, sagte ich.

»Das hast du über Susie auch gesagt.«

»Die ist ja auch wirklich komisch.«

»Gibt es eine Frau, die du nicht komisch findest?«

Diese Frage war bescheuert. Natürlich gab es zig andere Beispiele. Ich überlegte. Meine Mutter war verrückt, Gretel war komisch und Barbara auch, wenn auch auf eine ganz andere Art. Anne war komisch und Steffi, ihre Tochter, war auch ganz schön komisch. Meine dicke Ex-Nachbarin war komisch und die Studentinnen, für die ich mal geschwärmt hatte, waren es ebenfalls, auch wenn ich sie nur flüchtig gekannt hatte. Ich hatte früher immer gedacht, dass man das Komischsein von Menschen nur bemerkt, wenn man den ganzen Tag mit ihnen verbringt.

Die Nachbarn wussten zum Beispiel nicht, dass meine Mutter immer komischer wurde. Wenn Menschen sich nicht gut kennen, verhalten sie sich alle gleich, dachte ich. Sie gehen höflich miteinander um, reden über belanglose Dinge und versuchen so normal wie möglich zu sein. Sie behaupten, es würde ihnen blendend gehen, aber zu Hause jammern sie herum.

Auch die paar Krankenschwestern, die ich im Wohnheim kennen gelernt hatte, waren ausgesprochen komisch gewesen. Mir fielen wirklich keine unkomischen Frauen ein.

»Kennst *du* welche, die nicht komisch sind?«, fragte ich zurück.

»Viele!«

»Wer denn, zum Beispiel?«

»Na, einige Freundinnen von Susie sind nicht …«

»Ich dachte, du magst die nicht«, fuhr ich dazwischen.

»Ich mag *einige* nicht. Einige andere mag ich.«

»Und wer noch?«

»Einige von meinen früheren Freundinnen.«

David hatte also Freundinnen vor Gretel gehabt! Wie kam das nur? Wie stellte er das an?

»Wie viele hattest du denn?«, fragte ich.

»Freundinnen? Schwer zu sagen. Wenn man die aus der Schulzeit mitzählt … dann dürften es ungefähr zehn gewesen sein.«

Ich war sprachlos. Zehn Freundinnen? Standen die Frauen wirklich auf Dackelblicke? Zugegeben, er sah besser aus als Tomate, aber nicht sehr viel besser. Ich überspielte meine Verblüfftheit.

»Aber deine Schwester ist echt komisch. Sie glaubt doch nicht wirklich, dass ich jetzt noch mit ihr fröhlich rumkoche.«

»Dann ruf sie doch an und sag ab.«

»Ich sag gar nichts!«

Der volle Bauch machte sich wieder bemerkbar. Ich hatte keine Lust, über Barbara oder andere Frauen nachzudenken. Mein Blick fiel auf die aufgeschlagene Fernsehzeitschrift. In zehn Minuten sollte *Drei Farben – Rot* laufen. Ich hatte ihn zwar schon mal gesehen, aber damals hatte ich noch einen kleinen Schwarz-Weiß-Fernseher gehabt und nichts von der Farbe Rot.

»Willst du *Rot* sehen?«, fragte ich David. »Der fängt gleich an.«

»Wieso nicht? *Blau* hab ich auch schon gesehn.«

Nach dem Film rief David doch noch bei Susie an.

»Äh, ich bins. Schläfst du schon? … Die Straßenbahn geht gleich … Mir gehts besser. Ja, kann gleich da sein … ja, bis gleich.«

Wir sahen uns noch ein paar Minuten lang einen Hau-Drauf-Film an, dann ging er rüber.

Ob das gut geht?, fragte ich mich. Er ging zu früh los. So schnell konnte die Straßenbahn nicht sein. Sonntagabends fuhr sie nur jede halbe Stunde. Ich wartete darauf, dass Gretel ihn wieder aus der Wohnung werfen würde. Aber er kam nicht. Kein Klingeln, kein Klopfen.

Ich legte mich ins Bett, kuschelte mich unter die Decke und schaute weiter den Hau-Drauf-Film an. Weil ich die erste Hälfte verpasst hatte, verstand ich die zweite auch nicht mehr, obwohl die Geschichte bestimmt einfach gestrickt war. Man wusste sofort, wer der Böse und wer der Held war.

Es war schon ein Uhr. Ich stellte den Fernseher aus, putzte mir die Zähne, zog meinen Schlafanzug an und legte mich ins Bett. Als ich meine Augen schloss, sah ich ein beleuchtetes Aquarium vor mir. Die Fische fingen an zu flimmern und bewegten sich in einem Fernseher. Der Fernseher wurde größer, bis es ein Fenster war. Nun schwammen keine Fische mehr drin. Verdammt!

Ich schaltete das Licht ein. Wenn man im Halbschlaf ist, kann man sich von allein wieder wachrütteln. Natürlich war der Fernseher schwarz. Das Fenster war schwarz. Ich stellte mir vor, wie David in Gretels Armen schlummerte und Tomate in Birgit eingekuschelt war. Und ich lag hier allein. Ich machte das Licht wieder aus und wollte weiterschlafen. Es ging aber nicht. Ich nahm mir den Stephen King und versuchte weiterzulesen, aber dazu war ich zu müde. Auf Worte konnte ich mich nicht mehr konzentrieren. Ich schaltete den Fernseher ein und wieder aus. Immer nur Schießereien. Die Geräusche störten mich.

Ich schlich durch den Flur zu Gretels Tür und horchte, aber alles war still. Sie schliefen also schon. Jeder schlief. Nirgendwo Geräusche. Keine Gespräche, keine Fernsehgeräusche, keine Musik.

Wenn es im Haus so still ist, kommt man sich vor, als sei kein anderer da.

Eigentlich war die Stille nicht schlecht, aber die Gedanken dehnten sich in ihr aus. Es war wie schon die Nacht zuvor. Ich musste etwas unternehmen. Aber ich wusste nicht was.

Hoffentlich wird es nicht jede Nacht so, dachte ich.

Ich setzte mich an den Tisch und sah aus dem Fenster. In den Büschen, die durch die Straßenlampen angeleuchtet wurden, war niemand. Selbst wenn sich jemand dort versteckte und in mein Zimmer schauen würde, könnte er nicht viel entdecken. Von dort unten aus konnte man mich nur sehen, wenn ich am Tisch saß.

Ich ging in den Keller, aber Tims Wäschekorb war weg. Aus seinem Briefkasten quollen auch keine Handtücher mehr raus.

Ich lief nach oben und setzte mich wieder an den Tisch. War in dem hell erleuchteten Zimmer wirklich meine

Mutter gewesen? Wieso hatte ich nicht genauer hin-gesehen, wenn ich schon mal da war? Als ich gestern in das Zimmer geschaut hatte, war es ziemlich spät gewe-sen, so spät wie jetzt gerade: nach eins. Meine Mutter war immer früh schlafen gegangen. Sie kann es nicht ge-wesen sein, dachte ich. Es kann nicht sein, dass ich sie nach vierzehn Jahren wiedergesehen und nicht erkannt habe.

Das Hirngespinst geisterte jetzt nicht nur durch meine Gedanken. Es war aus meinem Kopf gestiegen und lief im Sonnenhof herum.

Ich zog mich an, schwang mich aufs Fahrrad und fuhr los. Es war genauso kalt wie in der Nacht zuvor. Erst als ich mich schon mitten in Bethel befand, fragte ich mich, was ich dort überhaupt zu suchen hatte.

Das Fahrrad lehnte ich gegen einen Zaun und schloss es ab. Dann lief ich über den Rasen und schlüpfte durchs Gestrüpp. Es war der Fluchtweg von gestern. Jetzt ging ich ihn wieder zurück.

Ich sah schon von weitem die erleuchteten Fenster und suchte Deckung im Gebüsch.

So allein kam es mir dort noch unheimlicher vor, es ra-schelte aus den anderen Büschen. Aber es war trotzdem besser als Barbara neben sich zu haben.

Der kalte Wind fuhr mir wieder durchs Haar und das Ge-strüpp bedrängte mich wie ein Haufen knochiger Finger. Das eine Fenster war wieder erleuchtet, aber wieder hielt sich dort niemand auf. In dem Zimmer direkt darüber brannte auch noch Licht. Ab und zu sah ich den Kopf eines Mannes, wenn er vom Stuhl aufstand. Der Mann zündete sich eine Kippe nach der anderen an. Der Raum war ganz schön vernebelt. Wenn ich da drin wäre, würde ich keine Luft mehr bekommen.

Dem Mann schien der Rauch nichts auszumachen, sein Fenster blieb zu. Der Nebel wurde immer dichter, ich musste an den Film *The Fog – Nebel des Grauens* denken. In meinem Zimmer im Dachgeschoss bei den Willmers hatte ich einen kleinen Fernseher mit Zimmerantenne gehabt. Ich konnte bis spät in die Nacht Filme ansehen, ohne von der Schwester meiner Mutter gestört zu werden. Nach dem Nebel-Film hatte es mich noch Jahre später gegruselt, besonders wenn ich im dunklen Morgennebel zur Schule musste.

Eine ohrenbetäubende Sirene ertönte. In Filmen gingen dann sofort die Lichter an und strahlten auf die flüchtenden Sträflinge. Instinktiv duckte ich mich.

Gleich werden sie mich festnehmen und mich einlochen, dachte ich. Oder es spricht sich in ganz Bielefeld herum, dass ich ein Spanner bin.

Im Nebel-Zimmer ging die Tür auf. Jetzt redete der Kettenraucher mit einem stämmigen Mann. Der Stämmige öffnete das Fenster. Ich hoffte, dass er mich nicht im Gebüsch entdeckte. Er machte das Fenster ganz weit auf. Dadurch hörte ich die Sirene noch viel lauter. Wenn ich in dem Zimmer wäre, würde mein Trommelfell aussehen wie ein kaputtes Trampolin. Umso mehr wunderte ich mich über die Ruhe des Bewohners und des kräftigen Kerls, der bestimmt der Nachtwächter war. Ein Kollege von Barbara, dachte ich. Er fächerte mit einer Zeitschrift den Rauch aus dem Fenster. Die Sirene verstummte.

Ob Barbara auch Nachtdienst hat?, fragte ich mich. Der Nachtwächter schloss das Fenster und kippte es. Dann redete er noch mal mit dem Bewohner und ging aus dem Zimmer.

Erst jetzt wunderte ich mich, dass nicht in allen Zimmern das Licht angegangen war. Der Lärm hatte anscheinend niemanden geweckt. Der Mann zündete sich eine weitere Zigarette an und legte sich wohl ins Bett. Ich sah nur die Rauchwolke aufsteigen.

Da durchzuckte es mich. In dem unteren Zimmer saß jetzt eine Person am Tisch. Die Sirene hatte mich so abgelenkt, dass ich gar nicht mehr auf das wichtigste Zimmer geachtet hatte. Eine ergraute Frau saß am Tisch und rauchte.

Es ist nicht meine Mutter, dachte ich. Sie ist immer militante Nichtraucherin gewesen.

Die Frau hatte leicht gelockte Haare, die hinten zu einem Zopf zusammengebunden waren.

Ich sah sie nur schräg von hinten. Sie schaute auf einen Fernseher, der in einer Ecke neben der Tür stand. Fühlte sie sich denn überhaupt nicht beobachtet?

Wir hatten früher Gardinen und schwere Vorhänge an den Fenstern gehabt. Sobald es dunkel wurde und man das Licht einschalten musste, zog meine Mutter die geblümten Vorhänge zu. Blumen machten die Welt eigentlich bunter. Aber die Blumen auf den Vorhängen meiner Mutter waren alle braun gewesen, als seien sie verwelkt.

Ich ging zu meinem Fahrrad und fuhr zum Wohnheim zurück. Seltsamerweise war ich nicht mehr so aufgewühlt.

In meinem Zimmer kramte ich in einer Gerümpelkiste herum, die ganz unten in meinem Kleiderschrank stand. Ich besaß noch ein Fernglas, ein Weihnachtsgeschenk von den Willmers. Bei meinen Eltern hatte ich auch eins gehabt, aber aus dem Haus hatte ich damals nichts mitgenommen außer meiner Kleidung, weil ich durch nichts mehr an meine Eltern erinnert werden wollte. Eine neue Umgebung ist nicht neu, wenn man sie mit alten Sachen zustellt. Das behielt ich allerdings für mich. Für ein zehnjähriges Kind hätte das zu berechnend geklungen. Die Schwester meiner Mutter hätte dazu gesagt: »Stell dich nicht so an. Reiß dich einfach zusammen.«

Das Fernglas steckte in einer kleinen braunen Tasche und hatte zwei kurze Röhren. Als kleiner Junge hatte ich die Vögel im Garten beobachtet, wie sie auf den Bäumen saßen und an ihren Federn zupften. Bei den Willmers hatte ich von meinem Dachzimmer aus auf die Straße gesehen und Detektiv gespielt. Ich hatte die Nachbarn auf der anderen Straßenseite beobachtet und mir vorgestellt, sie seien Mörder.

Ich öffnete das Täschchen und holte es heraus. Schon komisch: Dinge, die man nach langer Zeit wieder hervorholt, sehen neu und alt zugleich aus.

Das Fernglas war nicht verstaubt.

Wenn man seine Erinnerungen nur gut genug verpackt, vielleicht verstauben sie dann nie, dachte ich. Man merkt erst, wie frisch sie immer noch sind, wenn man sie wieder auspackt.

Ich ging zum Fenster und schaute durchs Fernglas. Es funktionierte noch wie früher. Die Welt sah dadurch nicht trüber aus.

Doch auf der Straße waren keine Menschen mehr, die ich hätte beobachten können, und die wenigen Autos fuhren zu schnell vorbei.

Ich wachte erst mittags wieder auf. Seit langem fühlte ich mich endlich wieder ausgeschlafen. Zum ersten Mal schien nach trüben Wochen die Sonne wieder und ließ mein Zimmer freundlich aussehen. Ein Gefühl grundloser Zuversicht überkam mich. Ich holte den Zettel mit Barbaras Nummer aus dem Papierkorb. Es ist niemand da, sagte ihre Stimme. Nun hatte ich endlich Lust, mit ihr zu reden, und jetzt ging es nicht. Also schlug ich das Telefonbuch auf und suchte den Sonnenhof. Natürlich konnte sie genauso gut irgendwo anders sein.

»Scherer, Sonnenhof«, meldete sich eine Stimme.

»Hier spricht Müller, ist Barbara da?«

»Ja, einen Moment.«

Ich hörte, wie die Person am anderen Ende mit dem Hörer durch einen Gang lief. Die Schritte hallten und im Hintergrund hörte ich einzelne Stimmen.

»Barbara Hering.«

»Hier ist Patrick. Das Zimmer im Erdgeschoss, wo die Frau reinkam … war das meine Mutter?«

Sie sagte nichts. Ob ihr nichts einfiel oder ob sie zu überrascht war – ich konnte es nicht erraten.

»War das meine Mutter?«, fragte ich noch mal.

»Ich hab in einer Stunde frei. Kann ich dich dann nicht zurückrufen?«

»Ja. Bis dann.«

Ich hüpfte unter die Dusche.

In meinem Briefkasten lag nur die Telefonrechnung. Ich lief ins Krankenhaus rüber und kaufte mir beim Bäcker dort drei Brötchen. Als ich am Tisch saß und frühstückte, schien die Sonne auf mein Gesicht. Es war richtig warm, als sei es einer der ersten Frühlingstage. Der Milchkaffee schmeckte, die Brötchen dufteten. Fehlen nur noch die bunten Tulpen draußen, dachte ich.

Ich nahm das Fernglas und beobachtete die Passanten. Sie schienen alle gute Laune zu haben. Im Dezember konnte es nicht aussehen wie im Frühling, aber trotzdem war die Welt an diesem Tag bunter als sonst. Die Häuser hatten alle unterschiedliche Farben, die Autos waren bunt und selbst der Rasen war grüner als sonst. Ich nahm mir vor, meine Wohnung zu verändern, denn Farbe tat wirklich gut.

Nachdem ich abgeräumt hatte, las ich mein Buch weiter. Der kleine Sohn war gestorben und der Vater trug ihn nun zum Kuscheltierfriedhof.

Es läutete an der Tür. Ich stand auf und drückte auf den Summer. Ich erwartete keinen Besuch. Vielleicht war es wieder David. Ich ließ die Wohnungstür auf und setzte mich wieder an den Tisch. Es klopfte zweimal, dann kam Barbara herein. Sie wollte doch anrufen, dachte ich. Aber ich war nicht mehr so aufgeregt wie beim letzten Mal. Seit der Szene im Gebüsch war sie für mich nicht mehr die Frau, die wie Audrey Hepburn aussah, sondern eine Erzieherin mit erhobenem Zeigefinger. Zuvor war ich in ihrer Gegenwart aufgeregt gewesen, aber jetzt war mir egal, was sie von mir dachte, und das machte mich gelassen.

In einer Hand hielt sie eine große Tüte.

»Hallo!«, sagte sie.

»Du wolltest doch anrufen.«

»Ich dachte, es wäre besser vorbeizukommen.«

Pädagogen wissen immer, was besser ist, dachte ich.

Sie setzte sich.

»Außerdem hab ich nicht angerufen, weil ich dir etwas vorbeibringen wollte.«

Sie holte aus der Tüte ein großformatiges, noch eingeschweißtes Buch heraus und drückte es mir in die Hand.

Das große Buch der Asiatischen Küche stand drauf. Es war auch groß, aber nicht ganz so groß wie das von Tomate. Rote Chilis glänzten auf dem Umschlag.

»Das wollte ich dir schenken – als Entschuldigung.«

Wieso schenken mir auf einmal alle Leute Kochbücher?, fragte ich mich.

»Danke«, sagte ich, riss die Folie auf und blätterte in dem Buch. China, Indonesien, Thailand, Laos, Kambodscha, Vietnam, Japan, Indien, Pakistan und Birma. Ich tat so, als würde ich mir die Fotos ansehen, aber mit meinen Gedanken war ich woanders. Sie hat sich entschuldigt, dachte ich. Aber wofür? Dafür, dass sie gekommen war, ohne vorher Bescheid zu sagen? Für vorletzte Nacht?

»Die Frau im Erdgeschoss war deine Mutter.«

Die Frau mit den grauen Haaren, die rauchte, die ihre Vorhänge nicht zuzog, die um ein Uhr morgens vor der Glotze saß? Ich lachte auf.

»Du spinnst«, sagte ich nur und wunderte mich, dass ich sie wirklich nicht mehr wie Audrey Hepburn behandelte, sondern wie eine Erzieherin mit Warzengesicht.

»Warum?«, fragte sie.

»Weil die Frau einfach nicht meine Mutter sein kann!«

»Und warum nicht?«

»Meine Mutter raucht nicht und geht abends früh zu Bett«, antwortete ich. Zum ersten Mal bemerkte ich, dass ich von ihr nicht in der Vergangenheit sprach.

Ich muss neuen Gin kaufen, dachte ich.

»Sie raucht nicht nur, sie betrinkt sich auch, wenn es ihr besonders schlecht geht«, sagte Barbara.

Konnte sie in mich hineinsehen? Ich fühlte mich ertappt und nahm mir vor, nie wieder etwas zu trinken.

»Es gibt keinen Patienten im Sonnenhof, der nicht raucht«, erzählte Barbara weiter.

Mich interessieren die Statistiken nicht, dachte ich. Die Frau kann trotzdem nicht meine Mutter sein.

»Sie würde nicht bei angeschaltetem Licht im Zimmer sitzen, ohne die Vorhänge zuzuziehen«, erwiderte ich. Im gleichen Moment kamen mir meine Widerworte blöd vor. Barbara konnte ich damit wohl kaum beeindrucken. Sie arbeitete schließlich im Sonnenhof und musste wissen, wer meine Mutter war und in welchem Zimmer sie wohnte.

In der kommenden Nacht werde ich wieder hingehen, länger im Gebüsch bleiben und mit dem Fernglas hinein- schauen, nahm ich mir vor. Ich werde um das ganze Gebäude herumgehen und in jedes beleuchtete Fenster hineinsehen.

»Und außerdem brauchst du dich nicht in meine Angele- genheiten einzumischen«, sagte ich weiter.

Kurz zuvor, als sie sich entschuldigt hatte, war sie mir gar nicht wie eine Pädagogin vorgekommen, aber jetzt war sie wieder eine.

Sie sagte nichts, wieso rechtfertigte sie sich nicht einfach?

»Ich komme Mittwoch nicht zum Kochen«, sagte ich.

»Ja, ist gut.«

»Gestern Nacht war ich noch mal da.«

Ich wusste nicht, weswegen ich ihr das erzählte: »Wieso schlafen die Bewohner nicht?«

»Wieso schläfst du denn nicht um diese Zeit?«, fragte sie zurück.

Ich wollte antworten, dass ich schließlich nicht krank sei wie die Leute im Sonnenhof, aber vielleicht war ich es ja doch.

»Es gibt viele Patienten, die haben die Nacht zum Tag gemacht und umgekehrt. Deine Mutter gehört dazu. Sie steht erst nachmittags auf.«

Dann legt sie sich wenigstens nachmittags nicht noch mal hin, dachte ich sarkastisch.

»Am frühen Abend legt sie sich oft noch mal für eine Stunde hin und ist dann meistens bis morgens um acht wach.«

Dann hat sich nur ihr Tagesrhythmus verändert, dachte ich. Sie schläft genauso viel wie früher. Ich fragte mich, weshalb es keinen geordneten Tagesablauf in diesem Sonnenhof gab. Wurden die Bewohner morgens nicht geweckt, wie im Krankenhaus? Waren sie tagsüber nicht beschäftigt? Wie konnte es sein, dass meine Mutter bis nachmittags schlafen konnte?

»Sie kann gar nicht bis nachmittags schlafen«, sagte ich triumphierend. »Sie hat einen sehr leichten Schlaf. Niemand darf dann auch nur niesen geschweige denn eine Tür zumachen.«

»Deine Mutter hat einen sehr festen Schlaf«, behauptete Barbara.

»Es ist mir egal, was für einen Schlaf sie jetzt hat. Ich werde nicht zu ihr gehen und den heimkehrenden Sohn spielen.«

Mir fiel auf, dass die Sonne nicht mehr ins Zimmer schien. Das Gefühl der Wärme war schon etwas länger weg.

»Arbeitest du auch nachts?«

»Manchmal. Ich kann dir einen Vorschlag machen.«

»Und der wäre?«

»Mein Kollege, der die ganze Woche Nachtdienst hat, will Donnerstag auf einen Polterabend. Es hat sich aber noch niemand gemeldet, der für ihn einspringt.«

»Und was hab ich damit zu tun?«

»Ich könnte also Donnerstagnacht arbeiten und dich mit reinnehmen. Es gibt zwei Wohngruppen. Eine im ersten Stock und die zweite im Erdgeschoss.« Sie sprach im Tonfall einer Bankangestellten, die mit einem Bankräuber zusammenarbeiten will.

»Du kannst dich in der oberen Wohngruppe umsehen«, fuhr sie fort, »und schauen, wie die Leute so bei uns leben. Einige sind immer wach. Deine Mutter bleibt nachts immer unten bei ihrer Gruppe. Und wenn sie etwas will, ruft sie an. Sie kommt also nicht hoch.«

Barbara war noch verrückter, als ich dachte. Wieso sollte ich nachts in einer Irrenanstalt herumlaufen? Sie redete so, als würde sie mir einen großen Gefallen damit tun.

»Kann es sein, dass ihr Pädagogen noch verrückter seid als eure Patienten?«, fragte ich, aber sie schaute mich ernst an und schien das gar nicht lustig zu finden.

»Willst du mich den Leuten dann als neuen Verrückten vorstellen?«, witzelte ich weiter, aber sie lachte auch darüber nicht.

»Ich sage ihnen, du seist ein Praktikant.«

»Und deine Kollegen haben nichts dagegen, dass du einfach irgendjemanden mitschleppst?«

»Es geht nicht darum, ob sie etwas dagegen haben. Es ist natürlich nicht erlaubt«, sagte sie trocken.

Sollte ich sie fragen, wieso sie mir das anbot? Was riskierte sie dabei? Eine Verwarnung? Ihren Job? Und das wegen mir? Natürlich war ich geschmeichelt und es war mir peinlich, dass ich mich geschmeichelt fühlte. Das wollte ich mir aber auf keinen Fall anmerken lassen.

»Ich könnte dich dann später reinlassen ... wenn du sowieso da draußen stehst.«

Ihr Blick fiel auf das Fernglas.

»Mit dem da siehst du trotzdem nicht alles nah genug.«

Sie sah mich wieder an wie eine abtrünnige Bankangestellte.

Natürlich ging ich nicht auf den Vorschlag ein. Aber sofort ablehnen musste ich ja auch nicht. Andere wären sofort dabei. Alle denken, Irre seien interessant. Aber Irre denken nur an sich selbst. Wäre meine Mutter nicht verrückt gewesen, dachte ich weiter, hätte sie sich mehr für mich interessiert.

»Muss ich mich jetzt sofort entscheiden?«, fragte ich. Im Grunde konnte ich ihr jetzt schon eine Antwort geben, es war klar, dass ich Donnerstagnacht nicht in der Klapse herumgeistern würde.

»Nein, natürlich nicht«, sagte sie, »aber für den Nachtdienst muss ich mich heute schon melden. Du kannst es dir noch mal durch den Kopf gehen lassen. Wenn du nicht kommst, ist das auch nicht schlimm.«

Ich wusste selbst nicht, warum ich nicht sofort ablehnte.

»Gut, dann geh ich jetzt«, sagte sie und erhob sich.

»Ja«, erwiderte ich nur und machte keine Anstalten, ihr noch Tee oder Kekse anzubieten. Sie ging und ließ mich mit ihrem Buch zurück.

Jetzt hab ich schon zwei Kochbücher, dachte ich.

Es war schon Mittwochnachmittag und ich hatte meine Meinung immer noch nicht geändert. Ich nahm mir vor, Barbara abends mitzuteilen, dass ich Donnerstagnacht nicht kommen würde. So pflichtbewusst, wie sie war, hatte sie David bestimmt über den abgesagten Kochabend informiert.

Es klingelte an der Tür. Ich drückte auf den Summer, ließ wieder die Tür auf und wartete auf Barbara. Aber es war David. Er kam mit gesenktem Dackelblick herein.

»Hey, hast du denn gar keinen Haustürschlüssel mehr?«, rief ich ihm fröhlich zu, aber er lachte nicht.

»Nein, ich hab keinen mehr«, sagte er mit weiterhin gesenktem Blick und setzte sich an den Tisch.

»Und weshalb nicht?«

»Den hat Susie wieder zurück.«

Sie hat seinen Schwindel also doch bemerkt, dachte ich. Einer von ihren Freunden hat ihn im Treppenhaus gesehen und gepetzt.

»Wegen Sonntag? Hat sie es rausgefunden?«, fragte ich.

David schaute aus dem Fenster.

»Sie hat einen anderen«, antwortete er.

Aber er hat doch selbst gesagt, wenn sie einen Besseren findet, soll sie ihn nehmen, dachte ich.

»Wie kommt das?«, fragte ich.

»Völlig abstruse Geschichte«, sagte er und raufte sich die Haare. »Wenn das in einem Film vorkäme, würden alle sagen: Wie unrealistisch!«

Er scharrte mit dem Fuß auf dem Teppich und wiederholte: »So was Abstruses! Total bescheuert!«

Abstrus? Ich war gespannt. War Dieter Bohlen zufällig in Bielefeld gewesen und hatte sich in Gretel verliebt?

»Lass mich raten!«, sagte ich.

»Quatsch, das errätst du nie. Irgendwie hattest du sogar Recht.«

Ich hatte Recht? Ich überlegte, womit, aber mir fiel nichts ein.

»Nur *wie* es dazu kam – das ist das Abstruse! Hast du Gin da?«, fuhr er fort.

»Nein, leider nicht.«

»Tim!«, rief er aus. »Sie ist mit Tim zusammen. Was hast du mal über ihn gesagt? Er sei ein Casanova und ich soll aufpassen, dass Gretel ihm nicht übern Weg läuft.«

David fing fast an zu heulen und es tat mir wirklich leid, dass kein Gin da war.

»Sie ist ihm also über den Weg gelaufen«, stellte ich fest.

»Sie ist ihm schon öfters über den Weg gelaufen, schließlich wohnt sie ja auch hier. Aber sie hatten nie etwas miteinander zu tun.«

Ich hatte noch eine Packung Taschentücher in der Hosentasche und wartete drauf, dass er losheulte, aber die Grenze zum Heulen war noch nicht überschritten.

»Und dann war sie bei ihm auf der Station und hat sich während der Arbeit in ihn verliebt«, beendete ich seine Aussage. Es konnte nur so abgelaufen sein.

Aber David schüttelte nur den Kopf, als könne er das Ganze immer noch nicht fassen.

»Dann rück endlich mit der Sprache raus.«

Und wehe, es ist nicht wirklich abstrus, dachte ich.

»Sie hat ihn durch ein Handtuch kennen gelernt!«, rief er aus.

»Durch was?«

»Total bescheuert! Susie geht zu ihrem Briefkasten. Aber anstelle der Post steckt ein Handtuch drin. Sie wundert sich, nimmt aber das Handtuch mit und geht wieder hoch. Da trifft sie Tim. Er sieht das Handtuch in ihrer Hand und fragt sie, was sie mit seinem Handtuch mache. Sie erzählt ihm, dass es in ihrem Briefkasten gesteckt habe, und er sagt, dass ihm auch jemand Handtücher in den Briefkasten gestopft hätte. Das finden die beiden abstrus und Tim lädt sie zum Kuchen ein, den er grade von seiner Mutter bekommen hat. Sie geht mit und sie palavern übers Krankenhaus, übers Wohnheim, über alles Mögliche, und dann hat es eben gefunkt.«

»Das hat sie dir alles erzählt?«, fragte ich ungläubig.

»Natürlich hat sie mir das erzählt, woher soll ich das sonst wissen? Also, ich rufe gestern Abend bei ihr an und da sagt sie, ich solle ihr den Schlüssel in den Briefkasten werfen, und erzählt mir diese Geschichte.«

Ich wusste nicht, was ich sagen sollte. David heulte immer noch nicht. Ich wünschte, er würde endlich damit anfangen. Dann hätte ich ihm ein Taschentuch zuschieben und wenigstens dadurch Mitgefühl zeigen können, aber so? Was sollte ich sagen? Dass *ich* an diesem Schlamassel schuld war?

»Ich muss mich jetzt volllaufen lassen«, sagte David.

Ein Erzieher hätte daraufhin gesagt: Das hilft dir doch auch nicht weiter.

Aber ich war keiner, also sagte ich: »Dann lass uns losziehen und eine Flasche Gin besorgen. Und zwei Flaschen Tonic Water.«

David schien froh zu sein, dass ich Zeit hatte.

»Den Schlüssel hab ich eben gerade in ihren Briefkasten geworfen«, sagte er, während ich mir Jacke und Schuhe anzog.

Der Gin von der Tankstelle war ganz schön teuer, aber David zahlte ihn.

Als wir wieder zurück waren und am Tisch saßen, nahm ich mir vor, ihm nur beim Trinken zuzusehen. Aber als die Flaschen auf waren, überkam es mich doch. Es ist einfach nicht schön, sich nüchtern mit einem Betrunkenen zu unterhalten.

Wir tranken und lästerten über Frauen. David erzählte Böses über seine Ex-Freundinnen und ich über meine Ex-Möchtegernfreundinnen.

Eigentlich ist es doch ganz gut, keine Freundin zu haben, dachte ich. Wenn man Frauen näher kennen lernt, entpuppen sie sich letztendlich doch als durchgeknallt.

Ich klärte ihn nicht über den Drahtzieher der Handtuchaktion auf.

»Jetzt musst du wenigstens nicht auf diese blöde Almhütte mit«, tröstete ich ihn.

»Genau«, lallte er und fing nun wirklich an zu heulen. Ich griff nach den Taschentüchern und schob sie ihm zu.

Das Telefon klingelte. Es war Barbara.

»Und?«, fragte sie.

Ich war ziemlich betrunken.

»Was ›und‹?«, fragte ich zurück.

»Hast du dich entschieden?«

»Ja, hab ich«, antwortete ich.

»Und?«

»Ihr Frauen seid alle gleich!«, lallte ich.

»Das wollte ich nicht wissen. Ich will wissen, ob du nun morgen Nacht kommst.«

»Warum willst du das wissen?«

»Weil wir noch die Zeit und einen Treffpunkt ausmachen müssen. Schließlich kann ich dich erst hereinlassen, wenn die Kollegen weg sind. Außerdem hab ich vorher noch einiges zu tun. Du kannst ja in dem einen Gebüsch auf mich warten. Zehn Meter neben dem Zimmer deiner Mutter ist ein Flur mit einer Tür. Ich komme dann so gegen zwölf dorthin, es kann aber etwas dazwischenkommen, dann wird es ein bisschen später. Aber du siehst mich dann schon.«

»Audrey Hepburn plant einen Banküberfall«, plapperte ich. Ich sah David an, er schien in Gedanken versunken.

»Hey, deine Schwester ist dran«, sagte ich und drückte ihm den Hörer in die Hand.

»Ja?«, fragte er in den Hörer rein. »Ja, hallo … bestimmt … ja … ja, weil Susie Schluss gemacht hat … ach, sie hat einen anderen … ja, das sagen alle … äh Gin Tonic … nein, muss nicht sein … ja, sag ich ihm … ja, bis dann.«

»Morgen um Mitternacht – daran soll ich dich noch mal erinnern«, sagte er. »Was macht ihr denn morgen um diese Zeit?«

»Das ist genauso abstrus wie die Handtuch-Geschichte«, sagte ich. »Ich soll im Gebüsch vorm Sonnenhof warten. Sie macht Nachtdienst und will mich einschleusen – als Praktikanten. Aber nur oben. Unten ist meine Mutter. Natürlich ist das alles verboten.«

David guckte mich wie ein betrunkener Dackel an.

Ich dachte auf einmal an meine Mutter und goss mir Gin nach. Ich hob mein Glas.

»Auf Gretel!«, sagte ich. Schließlich hatte er auch auf meine Mutter getrunken. Ich wartete darauf, dass er ausflippen würde, aber er hob sein noch volles Glas und stieß mit mir an.

»Auf Susie-Gretel«, lallte er und trank. Dann fing er wieder an zu heulen.

»Eigentlich ist sie ja doch ganz nett«, lallte er heulend weiter.

Er tat mir leid. Aber war ich wirklich schuld? Sie hätte Tim ja auch auf anderem Wege kennen lernen können. Und wenn sie sich auf einmal in einen anderen verliebte, nur weil sie mit ihm ins Gespräch kam, dann wäre es früher oder später doch so gekommen.

»Tim hat nie lange Beziehungen«, tröstete ich David. »Er gibt ihr bestimmt nach zwei Wochen den Laufpass und dann kommt sie zu dir zurück.«

»Ich weiß gar nicht, ob ich dann noch mit ihr zusammen sein will. Nur weil dieser Tim sie dann satt hat? Obwohl – ich wüsste nicht, was ich täte, wenn sie wirklich in zwei Wochen wieder vor meiner Tür stehen würde.«

Es war schon spät und ich musste am nächsten Morgen früh raus. Die Arbeit im Steri begann um acht.

»Willst du nach Hause fahren oder hier schlafen?«, fragte ich ihn.

Unter meinem Bett lag noch eine nicht aufgeblasene Luftmatratze. Es war schon lange her, dass jemand darauf geschlafen hatte. Früher hatte Tomate öfter bei mir übernachtet, wenn er zu faul gewesen war, bei Regen oder Kälte zu seinen Eltern zurückzufahren. Als ich sie mir damals angeschafft hatte, hatte ich auch noch auf Frauenbesuch gehofft. Mein Bett war für zwei Leute definitiv zu schmal.

»Ja, wieso nicht«, sagte er.

Als ich am nächsten Morgen mit Kopfschmerzen aufstand, während David noch fest schlief, beneidete ich ihn. Er hatte zwar keine Freundin mehr, aber er konnte wenigstens ausschlafen.

Ich ging ins Sterilisationslager und machte meine Arbeit, schob die Operationsbestecke in die Maschinen, packte sie danach wieder ein und ging mittags in die Krankenhaus-Kantine. Ich aß heißen Milchreis mit Kirschen, arbeitete weiter und ging nach Hause.

Die Wohnung war leer. Auf dem Tisch lag ein Zettel: *Danke fürs Übernachten! David*

Der Tisch war abgeräumt. Die Gläser standen in der Spüle und die angebrochenen Flaschen im Kühlschrank. Die Luftmatratze lag wieder unterm Bett. Ich war positiv überrascht. Mein Blick fiel auf den Anrufbeantworter, aber er blinkte nicht.

Barbara hat doch gestern angerufen, dachte ich. Hatte David mir nicht gesagt, dass ich es nicht vergessen sollte? Heute um Mitternacht? Hatte ich ihr denn letzte Nacht nicht abgesagt? Oder sollte ich ihr absagen und trotzdem nachts hingehen und durch die Fenster sehen?

Ich musste erst mal ein paar Stunden Schlaf nachholen. Als ich aufwachte, war es schon wieder dunkel wie mitten in der Nacht. Von allen Seiten hörte ich Geräusche. Musik von der linken Seite, von oben einen Staubsauger, von unten schrilles Gelächter.

Es war wieder kalt geworden, denn ich hatte die Heizung noch nicht angestellt. Ich schaltete das Deckenlicht an. Der letzte sonnige Tag schien vor Monaten gewesen zu sein. Es war Dezember. Dunkel und kalt und ohne Hoffnung. Wenn man sich auf das Weihnachtsfest freut, ist alles nicht so schlimm. Aber ich empfand keine Vorfreude. Das Fest war das Allerschlimmste im Jahr. Wenn man den ganzen Tag gebückt stehen muss und weiß, dass man am Ende des

Tages eine schöne Rückenmassage bekommt, ist der ganze Tag nicht so schlimm. Mir kam es jedoch so vor, als würde ich den ganzen Tag gebückt stehen und im Gegensatz zu allen anderen, die eine Rückenmassage bekamen, erwartete mich ein schwerer Sandsack, der mir abends noch zusätzlich auf den Rücken geschnallt wurde. Wenn ich Anfang Dezember allein vor meiner Gans gesessen hätte, wäre das ja nicht schlimm gewesen. Aber Weihnachten hatte man in einer netten Runde zu sitzen und fröhlich zu sein.

Ich drehte die Heizung auf und schaltete den Fernseher ein. Gretel war also mit Tim zusammen. Ausgerechnet die zwei Nettesten auf dem Flur. Hätte sie sich auch in mich verliebt, wenn ich galanter gewesen wäre?

Die Zeit verging und ich hatte mich immer noch nicht entschieden. Mein Magen knurrte, aber ich war zu unruhig, um etwas zu essen. Wenn ich sowieso nachts zum Sonnenhof fahren würde, könnte ich ihr auch dort sagen, dass ich draußen bleiben wollte.

Ich fuhr extra früher los, um noch eine Zeit lang in die Zimmer schauen zu können. Ich lief über den Rasen, sah das Gebäude schon und wollte im Gehen mein Fernglas auspacken, da sah ich den beleuchteten Gang. Barbara stand hinter der Glastür. Ich ging auf sie zu.

»Du bist zu früh«, sagte ich.

»Ich hab im Moment nicht viel zu tun. Da dachte ich, ich stelle mich schon mal hier hin, falls du zu früh kommst. Damit du nicht so lange draußen stehen musst.«

Sie sah anders aus als sonst. Nachlässiger. Ihre Haare waren nicht hochgesteckt, sondern zu einem Pferdeschwanz zusammengebunden. Sie trug eine ausgewaschene Jeans und ein labbriges Sweatshirt mit verblichenen orangenfarbenen Punkten. Statt in Damenschuhen steckten ihre Füße in Turnschuhen.

Mein erster Gedanke war: Sie macht sich extra unattraktiv für mich.

»Komm rein«, sagte sie und ich ging rein, weil ich in diesem Moment vergaß, dass ich nicht ihre Wohnung betrat, sondern den Sonnenhof.

Der Gang sah den Fluren meiner alten Schule ähnlich. Nur zur rechten Seite führten einige Türen ab. Es roch seltsam. Es war weder kalt noch warm. Barbara sah auf das Fernglas und mir fiel ein, dass ich eigentlich lieber draußen bleiben wollte, um von dort aus in die Fenster zu schauen. Ich richtete meinen Blick auf ihre klobigen Turnschuhe und überlegte, wie ich es ihr sagen sollte. Ich wollte nicht wieder so schroff wie beim letzten Mal klingen. Die Schuhe bewegten sich aber. Barbara ging zwei Schritte zur Tür und schloss ab.

»Ich hab im Mitarbeiterzimmer eine Kanne Tee gekocht. Wir müssen nur noch den Kuchen auspacken, dann können wir uns gemütlich hinsetzen.«

Kuchen? Ich merkte wieder mein fehlendes Abendessen. Eigentlich hatte ich Hunger auf was Deftiges. Dieser Sonnenhof ist gar nicht so schlimm, dachte ich weiter. Und ich kann mich in dieses Mitarbeiterzimmer setzen. Da werden wohl keine Bewohner reinkommen. Draußen war es kalt wie in den letzten Wochen. Sollte ich hier erst mal auftauen? Sollte ich mitgehen? Ich war unentschlossen und beschloss wieder zu zocken. Ich wollte schweigen und darauf warten, was sie als Nächstes sagen würde. Wenn sie sagte: »Komm mit«, »Stell dich nicht so an« oder sonst etwas in dieser Richtung, würde ich wieder gehen. Wenn sie etwas Gutes von sich gab, würde ich erst mal mitgehen. Ich schaute sie also erwartungsvoll an. Sie wunderte sich, dass ich nicht mitkam und dass ich nichts sagte. Sie sah mir ins Gesicht, als könnte sie darin den Grund für mein Schweigen entdecken. Ihr Kopf neigte sich erst leicht zu der einen, dann zur anderen Seite.

»Wir können uns vor dem Kuchen auch eine Pizza bestellen«, sagte sie.

Nun war ich wirklich verdattert. Ich hätte hundert Euro auf »Wenn du nicht willst, dann geh halt wieder« gesetzt. Jetzt hatte ich keine Ausrede mehr.

»Hast du heute Abend auch noch nichts gegessen?«, fragte ich.

»Doch, aber sehr früh und ich hab meine Brote zu Hause liegen gelassen.«

Sie ging los und ich ging mit. Am Ende des Gangs war eine Tür, die sie aufschloss. Dahinter lag ein größerer Vorraum. Der Geruch dort war viel intensiver als im Gang. Es war kein Geruch mehr, sondern penetranter Gestank. Ein Gemisch aus Pisse, Krankenhaus und Verschmortem. Dass es nach abgestandenem Rauch roch, war nicht verwunderlich. Auf dem Kachelboden lagen Zigarettenkippen. Aber wieso Pisse?

Einige Palmen standen an den Glasfronten. Dort war auch eine große Glastür, die nach Haupteingang aussah. Von dem Vorraum gingen zwei weitere Flure ab. Von dort hallten einige Stimmen zu uns herüber. Wir gingen aber gleich eine Treppe hoch, die in einen weiteren Vorraum führte. Einige Meter vor einem Flur schloss Barbara eine Tür auf. Es war ein großes Zimmer mit zwei Esstischen, vier Schreibtischen und einer Kochnische.

Auf einem Esstisch standen eine Isokanne, zwei Teller und zwei Tassen. In diesem Raum stank es Gott sei Dank nicht so wie im Vorraum.

»Musst du denn nicht die Leute betreuen?«, fragte ich.

»Wenn sie etwas wollen, dann rufen sie an oder klopfen an die Tür.«

Ich hoffte, dass niemand an die Tür klopfen würde, und setzte mich an den Tisch. Barbara reichte mir eine Speisekarte von einem Pizzataxi.

Ich blätterte darin und sagte: »Eine große ›Vier Jahreszeiten‹.« Gleichzeitig fiel mir ein, dass ich gar kein Geld mehr hatte. Ich schaute trotzdem ins Portemonnaie, entdeckte aber nur zwei Euro. Ich wollte gerade sagen, dass ich wohl doch nur Kuchen essen würde, da meinte Barbara: »Ich kann dir was leihen.«

Ich nickte.

Sie schaute nicht in die Karte, sondern nahm das Telefon aus ihrer Hosentasche und sagte: »Abend, Sonnenhof, Hering. Wir hätten gerne eine große Pizza Quatro Stagioni und eine kleine Spinaci … ja, gut … bitte am Haupteingang … klingeln … Danke! … Tschüss!«

Der Raum war überheizt. Ich zog meine Daunenjacke aus und warf sie über einen Stuhl.

Barbara setzte sich auf den Platz gegenüber.

Ich zuckte auf einmal zusammen. Jemand schrie fürchterlich! Es war eine dumpfe, krächzende Stimme, die jemanden beschimpfte. Ich verstand nur einzelne Wörter, darunter »Wichser« und »Saukerl!«

Gut, dass ich jetzt nicht draußen im Gebüsch hocke, dachte ich. Sonst wäre ich davongerannt. Ich sah Barbara mit großen Augen an. War sie taub? Sie nahm die Isokanne, schenkte seelenruhig Tee ein. Ich hielt es nicht mehr aus.

»Hörst du das denn nicht?«, platzte ich heraus.

»Das ist nur Herr Plehn«, sagte sie. »Manchmal schreit er vor sich hin. Das wird gleich aufhören.«

Ihre Gelassenheit verdutzte mich noch viel mehr.

»Musst du denn nicht zu ihm hingehen?«, fragte ich. Für mich gab es keinen Zweifel, dass jemand ihn beruhigen musste. Sie ist ganz schön abgebrüht, dachte ich.

»Nein, solange sich niemand beschwert.«

Ich schaute noch entsetzter drein. Sie bemerkte es.

»Nein«, sagte sie, »er schreit ja nicht, weil er Angst hat oder Hilfe braucht. Er macht sich halt Luft. Dann soll er das auch tun.«

Und im aufklärerischen Ton fügte sie hinzu: »Wenn jemand anders schreit, gehe ich natürlich nachschauen.«

Das Schreien verstummte. Mich gruselte es immer noch. Ich würde nie in der Klapse arbeiten können, stellte ich fest. Ich könnte bei so einem Geschrei noch nicht mal alleine in diesem Zimmer sitzen.

Konnte man so gelassen sein, wenn man sensibel war? Aber konnte man erraten, dass ich Hunger auf Deftiges hatte, wenn man unsensibel war?

Barabara hatte an diesem Abend reichlich schweres Parfüm aufgelegt. Schon im Gang, als ich hinter ihr herging, war mir dieser starke Duft in die Nase gestiegen. Jetzt schien er aber noch stärker zu sein.

»Gretel hat mit deinem armen Bruder Schluss gemacht«, sagte ich, um irgendetwas zu sagen.

»Du meinst Susie. Er hats erzählt.«

Ein gellendes Geräusch ertönte. War es wieder dieser Rauchmelder? Ich schaute entsetzt. Barbara blieb auch dieses Mal gelassen. Sie ist taub, dachte ich. Sie erhob sich und unsinnigerweise dachte ich, sie hat meine Gedanken gelesen, ist jetzt beleidigt und geht. Sie ging wirklich zur Garderobe. Musste sie nicht losrennen und schauen, ob es irgendwo brannte? Sie zog ihr Portemonnaie aus der Jacke. Jetzt war es wieder still.

»Das Essen ist fertig«, rief sie melodisch und ging aus dem Zimmer.

Mein leerer Magen freute sich.

Ein köstlicher Duft von geschmolzenem Käse und Pizzateig strömte aus der Packung.

Die Pizzen waren schon in Stücke geschnitten. Wir brauchten kein Besteck. Barbara war mir doch nicht so unsympathisch.

Als wir bei Tee und Kuchen angekommen waren, klingelte das Telefon und Barbara ging aus dem Zimmer.

Ich dachte, jetzt sitze ich noch nicht mal zehn Meter Luftlinie von meiner Mutter entfernt. Irgendwo musste ihre Akte sein, aber ich traute mich nicht zu schnüffeln. Barbara kam einfach nicht wieder und ich konnte nicht mehr sitzen bleiben. Vielleicht war etwas passiert?

Hier kann alles passieren, dachte ich. Also verließ ich den Raum und sah nach rechts und links.

Sollte ich die Tür auflassen? Ich griff nach dem Knauf und zog sie hinter mir zu, obwohl ich dieses laute Geräusch hasste. Nun konnte ich nicht mehr zurück. Die Neonröhren leuchteten grell von der Decke. Ich ging zur Glastür, sah aber, dass sie auch nur einen Knauf anstelle einer Klinke hatte. Aber sie war nicht zu. Auf dem Boden

entdeckte ich einen Schwamm, der die Tür einen Spalt auf-
hielt. Ich ging durch die Tür, die geräuschlos wieder zu-
rückfiel.

Raffiniert, dachte ich. Wieso bin ich nicht früher darauf
gekommen. Ich hätte mir viel Gemeckere meiner Mutter erspart.

Ich betrat einen größeren Aufenthaltsraum. Dort roch es
penetrant nach Zigaretten. Rechts stand ein Esstisch und
dahinter lag eine Küchenzeile. Auf der linken Seite befand
sich eine Sitzecke. Dort saß eine alte Hexe mit wirren Haaren. Sie sah fern und hielt eine Kippe in der linken Hand. Ihre
andere Hand lag auf dem Kopf eines großen Teddybären. Sie
bemerkte mich nicht. Der ganze Raum schien von rosi-
nengroßen Brandlöchern übersät zu sein, sogar die Bluse
des weiblichen Methusalems trug dieses Rosinenmuster.
Die Ränder ihrer Fingernägel waren nicht weiß, sondern
schwarz, als hätte man sie mit einem Filzstift umrandet.

Von dem Raum gingen vier weitere Glas-Türen ab, aber ich
wusste ja nicht, wo Barbara war. Die Hexe wandte ihren
Kopf und sah mich an.

»Wer bist du? Wer bist du!«, kreischte sie und warf ihren
Zigarettenstummel nach mir.

»Ein Praktikant«, fiel mir nur ein.

»Das kann jeder sagen!«, kreischte sie weiter.

Sie war außer Rand und Band und das machte sie bedroh-
lich. Sie nahm einen Joghurtbecher und warf ihn in meine
Richtung. Als sie dann nach einem Kaffeebecher griff,
flüchtete ich durch eine Tür und hoffte, die Hexe würde
mir nicht folgen. Schon während ich die Tür öffnete, kam
mir das dämlich vor. Ich hätte durch die Eingangstür wieder zurückgehen sollen. So lief ich in eine Sackgasse. Vor

mir lag ein dunkler Flur, von dem wiederum vier Türen abgingen. Sie waren nicht aus Glas, also vermutlich Zimmertüren. Die ersten zwei Zimmer waren abgeschlossen, aber die dritte ging auf. Ich betrat ein muffiges Zimmer. Hinter mir hörte ich schon die Hexe in den Flur kommen. Ich drückte auf den Lichtschalter und sah, dass man die Tür abschließen konnte wie eine Toilettentür. Also drehte ich den kleinen Plastikgriff herum.

»Du Dieb! Du Dieb!«, schrie die Hexe und kratzte an der Tür.

Ich stellte mir wieder diese pechschwarzen Finger vor und ekelte mich. War es das Zimmer dieser Hexe?

Ein schmales Bett stand an der Wand, ein kleiner Tisch am Fenster, ein furnierter Kleiderschrank an der anderen Wand und daneben ein Kühlschrank. Auf dem Boden lagen zertretene Zigarettenstummel. Die Bettdecke hatte das bekannte Rosinenmuster und das Kopfkissen war von Tabakkrümeln übersät.

Der Papierkorb neben dem Bett quoll über. Zwei Mülltüten, Taschentücher und Orangenschalen lagen verstreut daneben. Auch auf dem schmierigen Tisch waren Orangenschalen.

An der Wand klebten Bravo-Poster von irgendwelchen Boygroups, die ich nicht kannte. Der Einrichtung nach hätte es das Zimmer eines Teenagers sein können, aber es wirkte trotzdem wie das Zimmer einer alten Person. Ich wusste nicht genau wieso. Vielleicht lag es an dem Gestank. Es roch penetrant nach alten Menschen. Es kratzte wieder an der Tür. Ich konnte sie nicht einfach öffnen und mich an der Hexe vorbeidrängen. Ich wollte ihr nicht näher als zwei Meter kommen. Ich saß endgültig in der Falle.

Die Hexe stapfte laut davon, aber ich traute mich immer noch nicht raus. Sie wartete bestimmt in diesem Aufenthaltszimmer auf mich, vielleicht mit einem Besen oder dem Kaffeebecher. Aber hier hielt ich es auch nicht länger aus. Dieses Zimmer widerte mich an.

Ich hörte wieder Schritte. Es klopfte.

»Patrick, bist du da drin?«

Es war Barbara.

Mir fiel ein Stein vom Herzen. Ich musste also nicht in diesem Gestank krepieren. Als ich die Tür öffnete, war ich so froh und wollte sie umarmen. Aber ich traute mich dann doch nicht.

»Komm mit«, sagte sie und ging vor mir her in den Aufenthaltsraum. Die Hexe kreischte wieder.

»Das ist er! Der Dieb! Der Dieb! Er hat mich beklaut! Mein ganzes Geld hat er aus meinem Zimmer geklaut!«

»Frau Gertes, Sie waren doch noch gar nicht in Ihrem Zimmer. Gucken Sie doch mal nach«, beschwichtigte Barbara sie.

»Das ist mir schnurzegal! Er hat in meinem Zimmer nichts zu suchen!«, kreischte sie weiter und schlug dem Teddybären auf den Kopf.

»Das stimmt. Er hat in Ihrem Zimmer nichts zu suchen, auch wenn er Praktikant ist«, sagte Barbara im typischen Pädagogenton.

Ich bin nicht zum Vergnügen da reingegangen, dachte ich sauer. Aber ich sagte nichts. Barbara ging raus und ich folgte ihr. Ich erwartete ein Donnerwetter. Wir gingen wieder zum Mitarbeiterzimmer. Sie schloss auf. Wieso nennt man das einen »offenen Bereich«, wenn alle Türen abgeschlossen sind, fragte ich mich.

Ich setzte mich wieder an den Tisch und sah auf meine Tasse. Sie war noch halb voll. Der Tee war kalt.

Meine Mutter wohnte also in einem Haus, das nach Pisse, abgestandenem Rauch und alten Menschen roch. Diese Hexe war sozusagen ihre Nachbarin. Sie konnte nicht einfach nach Hause gehen wie ich.

In den vergangenen Jahren hatte ich mich noch nie so elend gefühlt. Ich musste mich zusammenreißen, um nicht loszuheulen. Wieso war ich hier? Wieso lag ich nicht im Bett und schlief? Auch dieser heimliche Besuch im Sonnenhof war eine Sackgasse. Eine Sackgasse mit Abgrund. Ich dachte an den Namen »Sonnenhof«. Man sollte diese Anstalt lieber »Geisterbahn« nennen, dachte ich und fing an zu lachen.

Barbara wartete bestimmt auf eine Erklärung. Ich erklärte nichts und sagte stattdessen: »Ich gehe jetzt.«

Aber ich stand nicht auf, sondern blieb sitzen. Ich war mir meiner Inkonsequenz bewusst, unternahm aber immer noch nichts, um konsequent zu sein.

Hoffentlich sagt Barbara jetzt nicht »Bleib doch« oder »Dann geh halt«, dachte ich.

»Frau Gertes hat dich erschreckt«, sagte sie, »aber du hast sie bestimmt noch mehr erschreckt. Manche Menschen schreien herum, wenn sie Angst haben.«

Sie redete in demselben Pädagogentonfall wie mit dieser Hexe und das ärgerte mich. Es ärgerte mich auch, dass diese Pädagogen nichts gegen den Gestank in diesem Haus unternahmen. Vielleicht gewöhnte man sich irgendwann dran. Aber konnte man sich überhaupt daran gewöhnen?

Menschen können sich an alles gewöhnen, dachte ich verbittert.

»Hör auf mit deinem Pädagogenkram«, meckerte ich sie an, »ich bin keiner von deinen Bescheuerten.«

Um endlich konsequent zu sein, stand ich auf. Ich wusste gar nicht, ob ich wirklich gehen sollte. Barbara war aber auch schon aufgestanden und sagte: »Ich schließ dir auf.«

Ich nahm meine Jacke und das Fernglas.

Im Flur kam uns die alte Hexe entgegen. Beim Anblick meiner Jacke und der Fernglas-Tasche rief sie: »Ha, ha, von wegen Praktikant! Das ist doch Ihr Liebhaber, Frau Hering!«

Wenn das wenigstens wahr wäre, dachte ich.

»Wenn Sie meinen, Frau Gertes«, erwiderte Barbara gleichgültig.

Wir gingen die Treppe runter, nahmen zurück denselben Weg wie vor zwei Stunden. Als wir an der Tür des Seitenflures standen, fiel mir noch etwas ein.

»Wieso bist du gerade in dem Moment in dieses Zimmer gekommen?«

Hatte Barbara doch telepathische Kräfte? Spürte sie, wie es mir ging? Dieser Gedanke faszinierte mich.

»Frau Gertes hat mich geholt«, sagte sie nur gelassen und spürte nicht, wie enttäuscht ich war.

»Ja bis dann«, sagte ich und ging. Nicht nach Hause, sondern ins Gebüsch.

Hier draußen stinkt es wenigstens nicht, dachte ich.

Jetzt wusste ich, was der Sonnenhof war: eine stinkende Jugendherberge im Rosinenlook.

Das sagenhafte Fenster, das Fenster meiner Mutter, war wieder hell erleuchtet, aber es war niemand zu sehen. Es konnte auch sein, dass sie im Bett lag. Man sah den Raum erst ab Brusthöhe aufwärts, außer dort, wo die Terrassen-tür vom Boden bis zur Decke freie Sicht ließ.

Ich nahm das Fernglas aus der Tasche, aber als ich durch-schaute, sah ich nichts Neues. In diesem Geschoss musste es doch auch einen Aufenthaltsraum wie oben geben.

Ich schlich um das Gebäude herum und sah eine Fens-terfront, die beleuchtet war. Ein paar Palmen versperrten die Sicht.

Durch das Fernglas erkannte ich ein bisschen mehr, einige Leute saßen in einer Couchecke, aber ich sah immer noch nicht genug.

Weiter entfernt entdeckte ich eine Gruppe von Bäumen. Einer schien sich zum Draufklettern zu eignen. Er hatte schon weiter unten Äste, also versuchte ich es.

Holz ist warm, sagt man. Aber dieses Holz fühlte sich kalt und rau an, als sei es voller Narben. Mein Fernglas bau-melte mir um den Hals. Mit allen Fingern musste ich mich festkrallen. Meine Muskeln waren überfordert, aber meine Gummisohlen fanden Halt. Als ich endlich auf dem Ast saß, lief mir der Schweiß den Rücken hinunter. Es war ziemlich ungemütlich auf diesem Ast, und als ich so reg-los dasaß, begann ich entsetzlich zu frieren. Meine Hände wurden steif, weil ich mich nicht traute, sie in die Jacken-taschen zu stecken. Vielleicht hätte ich dann mein Gleich-gewicht verloren und wäre wie ein Vogel mit abgeschnit-tenen Flügeln hinuntergeplumpst. Ich dachte an mein weiches Bett. An den Gestank im Sonnenhof. Dagegen war mein Appartement das reinste Paradies. Es war nicht ver-müllt und es roch nicht. Früher hatte ich oft andere benei-det, die schöner eingerichtet waren, aber jetzt fand ich es bei mir doch gemütlich.

Der Ast knackte, wenn ich mich nur ein klein wenig bewegte. Aber nun saß ich schon hier und wollte erst mal bleiben. Ich nahm das Fernglas und sah hindurch.

In diesem Aufenthaltsraum tobte im Vergleich zu dem oberen der Bär. Drei Bewohner saßen in der Fernsehecke. Es war eine Frau darunter. Sie war klein, dick und zu jung, um meine Mutter zu sein. Also liegt sie doch im Bett, dachte ich. Und dieser ganze Aufwand ist umsonst.

Ich wollte wieder runter, aber als ich nach unten sah, wurde mir schwindelig. Ich fragte mich, weshalb man immer besser rauf- als runterkommt.

Vielleicht lässt sich die Schwerkraft besser überwinden als die Angst, vermutete ich.

Ich blieb sitzen. Schon immer hatte ich Unangenehmes vor mir hergeschoben. Ich schaute weiter in den Raum. Im Fernsehen lief eine Talkshow, und die drei Bewohner starrten auf die Streithähne und rauchten dabei. Der helle Couchtisch war natürlich auch von dem Rosinenmuster gezeichnet. Ob die Leute extra dort ihre Zigaretten ausdrückten, wo noch keine schwarzen Brandlöcher waren? Alles war gleichmäßig übersät. Das Muster sah man auch auf dem großen Esstisch. Er stand weiter hinten im Raum. Eine Person saß an dem Tisch. Es konnte die Frau aus dem beleuchteten Zimmer sein, aber ich war nicht sicher. Schließlich hatte ich die Frau nur zweimal kurz gesehen, und das ohne Fernglas. Nun sah ich sie auch im Profil.

Es war egal, ob das beleuchtete Zimmer ihr gehörte oder nicht. Keine Frau konnte meine Mutter sein. Nach vierzehn Jahren ist alles anders. Ich war kein Kind mehr. Es konnte höchstens die Frau sein, die früher einmal meine Mutter gewesen war.

Geschiedene Eheleute nennt man »Ex«. Es müsste auch Scheidungen von Müttern geben, sagte ich mir. Meine Mutter war nicht mehr mit meinem Vater verheiratet, und hatte mich nicht aufgezogen. Einstein stand ihr näher. Sie hatte nichts getan, um sich den Titel »Mutter« zu verdienen – sie hatte mich nur zur Welt gebracht. Uns verband nichts außer die ersten zehn Jahre meines Lebens.

Die Frau rauchte und schaute nur in den Aschenbecher. Ich fragte mich, weshalb sie sich nicht zu den anderen in die Fernsehecke setzte. Jetzt drehte sie sich leicht um, so dass sie von vorne zu sehen war. Sie hatte eine hohe Stirn, die Wangen waren genauso eingefallen wie früher und die Augen lagen tiefer in den Höhlen. Sie war es. Ich wunderte mich. Nicht über sie, sondern über mich selbst. Dass ich ruhiger war, als ich gedacht hatte. Nach vierzehn Jahren hätte mich eigentlich der Schlag treffen müssen. Ich starrte auf die Frau, die einmal meine Mutter gewesen war. Vielleicht blieb ich deshalb relativ ruhig, weil ich im Grunde schon am vergangenen Samstag gewusst hatte, dass sie es war. Die Frau sah alt aus. Meine Mutter hatte schon früher verhärmt ausgesehen. Aber sie war für mich immer erwachsen gewesen und nicht alt. Hätte sie jünger ausgesehen oder mit den anderen in der Fernsehecke gesessen, wäre es für mich wohl nicht so schlimm gewesen. Sie war alt, allein und es gab keine Aussicht auf Besserung.

Ihre Schwester hatte immer gesagt, dass die Menschen Kinder aufziehen, nicht weil es in ihrer Natur liegt, sondern weil sie Angst davor haben, im Alter allein zu sein. Meine Mutter hatte mich nicht aus Angst vor dem Alleinsein bekommen. Wenn ich besonders bockig war, hatte sie mir gesagt, ich sei kein Wunschkind. Früher kapierte ich das nicht, vielleicht wollte ich es auch nicht kapieren. Deswegen gab ich ihr einmal die altkluge Antwort: »Nicht alle Wünsche können in Erfüllung gehen.« Das hatte mir Vater manchmal gesagt und ich plapperte es einfach nach.

Anne, die Schwester meiner Mutter, verstand sich gut mit ihren Kindern Felix und Steffi. Sie hatte Aussicht darauf, im Alter besucht zu werden. Aber wenn man einmal im Monat oder nur zu Weihnachten besucht wird, ist man trotzdem allein.

Ich konnte mir nicht länger die alte Frau ansehen, die einmal meine Mutter gewesen war. Das war noch unangenehmer als der Abstieg. Meine Hände waren schon taub vor Kälte. Das letzte Stück ließ ich mich hinunterplumpsen. War Barbara wieder im Mitarbeiterzimmer? Ich ging einmal um das Gebäude herum. In einem Raum sah ich die dicke Frau von der Fernsehecke wieder. Lichterketten hingen an der Wand und umrahmten ein Poster von Tom Cruise. Auf dem Tisch stand ein Adventskranz. Das Zimmer sah ganz ordentlich aus und auch die Frau schien gepflegter zu sein als die alte Hexe. Im Großen und Ganzen wirkte es wie ein normales Zimmer. Es deutete nichts auf ihre Verrücktheit hin, außer vielleicht, dass zu ihrem Alter eher ein Kunstdruck von Monet gepasst hätte als das Poster von einem Schauspieler. Sie ging zu ihrer Musikanlage und drehte sie irrwitzig laut auf. Stört das denn niemanden, fragte ich mich und wartete, was passieren würde. Die Frau setzte sich seelenruhig aufs Bett und qualmte. Irgendwann ging die Frau zur Tür und öffnete sie. Barbara stand davor und die zwei schienen sich zu streiten. Ich war froh, dass ich Barbara so schnell gefunden hatte, und klopfte gegen die Scheibe. Sie sah mich und machte große Augen. Auch die Frau drehte sich um und zuckte vor Schreck zusammen. Barbara ging zur Anlage und drehte die Lautstärke herunter. Die Frau brüllte jetzt wie ein uneinsichtiges Kind: »Das ist nicht laut!«

Barbara kam zur Terrassentür und ließ mich rein. Zu der Frau gewandt sagte sie dann: »Das ist ein Praktikant.«

Die Frau lächelte mich plötzlich an und sagte sanft: »Fangen Sie hier an zu arbeiten? Sie sind ja süß. Fangen Sie doch hier an.«

»Ja, mal gucken«, antwortete ich und fühlte mich geschmeichelt, weil die Frau mich mochte.

»Sie sind ja süß«, sagte die Frau noch mal.

Barbara und ich gingen aus dem Zimmer. Wir mussten durch den Aufenthaltsraum gehen und mir fiel plötzlich ein, dass ich meine Ex-Mutter treffen könnte. Aber ich entdeckte sie nicht. Niemand saß mehr an dem Esstisch, und in der Fernsehecke waren nur noch eine Frau und ein Mann. Die beiden musterten mich, als wir durch den Raum gingen. Ich wollte geradeaus schauen, schielte dann aber doch zu ihnen hin. Die Frau war recht groß und schlank. Ihr Gesicht hatte vornehme Züge. Sie hätte ganz gut ausgesehen, wenn sie nicht diese platinblonde Perücke auf dem Kopf gehabt hätte. Ihr Pullover hatte das typische Rosinenmuster. Der Mann sah wie ein Alkoholiker aus.

Barbara ging vor mir die Treppe hinauf. Als wir im Mitarbeiterzimmer angekommen waren, fragte sie mich: »Was machst du die ganze Zeit da draußen?«

Was sollte ich darauf sagen? Dass ich auf einen Baum geklettert war und mein Fernglas benutzt hatte? Wäre Barbara nicht gewesen, wäre ich gar nicht auf die Idee gekommen, durch die Fenster zu spannen. Die Wärme tat aber wieder gut und ich nahm mir vor, in diesem Zimmer sitzen zu bleiben, bis ich aufgetaut war.

»Wieso tust du das alles?«, fragte ich sie.

»Wieso ich hier arbeite, meinst du?«

Das wäre auch eine gute Frage, dachte ich.

»Nein. Wieso lässt du mich heimlich hier rein? Wieso hast du mich letzten Samstag hierher gelotst?«

»Weil ich mich für dich interessiere«, antwortete sie.

»Wie ein Psychiater für seinen Patienten.«

»Nein, weil du ein Freund von David bist.«

Sie schaute mich an, als hoffte sie, ich würde ihr glauben. Ich starrte auf den Tisch. Mir fiel auf, dass sie meine Tasse noch nicht abgeräumt hatte. Komischerweise freute ich mich darüber. Sie goss uns beiden Tee ein.

»So ein Quatsch«, sagte ich. »Du tust das für deine Patientin. Du kannst es nicht ertragen, dass sie alt und allein ist!«

Es klopfte an der Tür. Barbara öffnete. Es war die dicke Frau. Als sie mich entdeckte, lächelte sie: »Hoffentlich fangen Sie hier an. Ich hab Sie lieb.«

Zu Barbara gewandt sagte sie dann, sie sei unruhig und bräuchte irgendwelche Tropfen. Barbara öffnete einen Schrank. Er war voller Flaschen und Schachteln. Sie gab Tropfen in einen kleinen Becher und goss Wasser dazu. Die kleine Dicke kippte sich die Flüssigkeit rein wie ein Schnäpschen.

»Gute Nacht!«, rief sie mir dann zu und ging.

Ich wusste zwar nicht, weswegen die Frau mich auf Anhieb so mochte, aber es tat ganz gut.

»Das ist ja eine nette Frau«, sagte ich.

»Am Anfang ist sie zu allen nett. Wenn sie dich besser kennt und schlecht drauf ist, kann sie sehr aggressiv werden.«

Das enttäuschte mich ein wenig. Wenn jemand zu allen nett ist, ist das ja nichts Besonderes.

»Dafür würde Frau Gertes mit der Zeit freundlicher zu dir werden. Eigentlich mag sie Männer ganz gerne.«

Das konnte ich mir überhaupt nicht vorstellen. Diese widerliche Hexe hätte ich nur mit einer Zange angefasst und das hätte sie bestimmt gespürt.

»Die würde nie nett werden«, sagte ich.

»Doch, sie hatte doch nur Angst vor dir.«

Ich dachte an ihre schwarzen Fingernägel, an das Kratzen an der Tür.

»Wenn man Angst hat, hält man Abstand. Aber wenn ich nicht abgeschlossen hätte, wär sie ins Zimmer gekommen und hätte mich mit ihren widerlichen Fingernägeln aufgespießt!«

»Siehst du. Wenn sie gewollt hätte, wäre sie reingekommen. Sie hat doch einen Schlüssel für ihr Zimmer. Sie hätte jederzeit aufschließen können. Stattdessen hat sie mich geholt.«

»Und wenn ich nicht abgeschlossen hätte?«

»Dann hätte sie dich wohl von einer gewissen Entfernung aus angebrüllt oder sie hätte Gegenstände nach dir geworfen.«

Ich war überrascht, wie gut sie die Bewohner kannte, und schaute sie an. Sie sah trotz des schlichten Zopfs noch immer so aus wie Audrey Hepburn und ich fragte mich, welche Filme mit Audrey Hepburn ich kannte. Mir fiel auf Anhieb nur ein Film ein. Darin spielt sie eine Prinzessin.

Gregory Peck hatte die männliche Hauptrolle. Ich sah nicht so aus wie Gregory Peck, sondern wie … Der Name fiel mir nicht mehr ein.

»Wie sehe ich noch mal aus?«, fragte ich sie.

»Wie Russel Crowe.«

»Und in welchem Film spielt er mit?«

»In *A Beautiful Mind*.«

Ach ja, er spielt einen Schizophrenen, dachte ich. Wollte sie sich den Film ansehen, weil sie selbst in ihrer Freizeit nicht von den Verrückten loskam? War sie nicht selber verrückt? Konnte man hier arbeiten, wenn man normal war? Ich wurde doch langsam müde.

»Ich fahr jetzt nach Hause und geh ins Bett«, sagte ich. Ich würde mich ins Bett legen und nicht schlafen können. Das wusste ich. Es gab niemanden, den ich nachts hätte wecken können, um mit ihm zu quatschen. Ich dachte an meine Mutter. Es hatte sie immer gestört, wenn ich Geräusche machte. Aber wenn ich krank war und hohes Fieber hatte, öffnete sie alle zwei Stunden lautlos die Tür und schaute nach mir. Wenn sie sah, dass ich nicht schlief, machte sie mir neue Wadenwickel. Einmal, als ich sehr hohes Fieber hatte, weckte sie meinen Vater und bestand darauf, mich ins Krankenhaus zu fahren.

Sie konnte nie schlafen, wenn ich krank war.

Was sollte ich in dieser Nacht machen, wenn ich mich im Bett wieder nur von der einen Seite zur anderen wälzte? Ich konnte nicht noch mal zum Sonnenhof fahren, die halbe Nacht hatte ich dort schon verbracht.

Barbara würde noch bis sieben Uhr arbeiten.

»Kann ich bei dir schlafen?«, fragte ich.

»Wieso willst du bei mir schlafen?«

Hielt sie mich jetzt für einen Aufreißer? Ich musste erst mal selbst überlegen, weswegen ich das überhaupt wollte. Aber ich fand keine Antwort. Ich griff nach der Teetasse, merkte dann aber schnell, dass meine Finger zu zittrig waren. Also streichelte ich die Tasse nur mit meinen Fingerspitzen, anstatt sie hochzuheben und an den Mund zu führen.

»Ich will nicht bei mir schlafen«, sagte ich.

Sie stützte den Kopf in ihre Hände und dachte nach. Dann stand sie auf und holte etwas aus ihrem Mantel. Sie setzte sich wieder und schob mir zwei Schlüssel zu.

»Der eine ist für die Haustür, der andere für die Wohnungstür. Wenn du aufgeschlossen hast, legst du die Schlüssel unter den Kübel draußen. Unter meinem Bett ist eine Matratze und ein Schlafsack. Du kannst dich ins Wohnzimmer legen. Maraweg 42. Im zweiten Stock. Hering.«

Sie klang, als würde sie eine Gebrauchsanleitung vorlesen. Ich fragte mich, wieso sie mich in ihrer Wohnung schlafen lassen wollte. Was sollte ich sagen? Ein »Danke« wäre zu beiläufig gewesen. Ein ›Ich werde dir ewig dafür dankbar sein‹ hätte übertrieben geklungen, obwohl es zutreffend gewesen wäre.

»Du musst vom Haupteingang die Straße rechts runter und dann die zweite links«, sagte sie.

Ich wurde nicht schlau aus ihr. Hätte sie auch jeden anderen bei sich übernachten lassen? Das konnte mir eigentlich egal sein.

»Soll ich das wirklich machen?«, fragte ich.

»Sonst hättest du ja nicht gefragt.«

Also gut, dachte ich und nahm die Schlüssel.

Draußen war es immer noch dunkel. Ich bog in den Maraweg ein, eine schmale Straße, die von alten, mehrstöckigen Häusern mit reich verzierten Holztüren gesäumt wurde. Die Nummer 42 war weiß und hatte keinen Vorgarten. Auf der zweiten Klingel von oben stand »Hering«. Der erste Schlüssel passte nicht, aber der zweite. Die Treppenstufen waren aus altem lackiertem Holz, die Wände hellgelb gestrichen. An jeder Wohnungstür hing ein Kranz. Ich ging hoch zum zweiten Stock. »Hering« stand auf der Klingel der linken Tür. Ich schloss auf und ging wieder nach unten.

Neben der Haustür befand sich ein großer Pflanzenkübel mit einem kleinen Baum darin. Ich schob die Schlüssel darunter und ging wieder nach oben. Wärme strömte mir in der Wohnung entgegen. Barbara hatte anscheinend die Heizung nicht heruntergedreht. Es gab keinen Flur, ich stand gleich in einer Küche mit blauer Küchenzeile und einem hellen Esstisch. Neben dem Tisch führte eine Tür ins Wohnzimmer. Auf der linken Seite sah ich ein weißes Sofa. Zwei Regale enthielten Bücher, eine Stereoanlage und einen Fernseher. Auf der rechten Seite befand sich ein kleiner Glasschreibtisch, auf dem ein Laptop stand. Es hingen drei Bilder an der Wand, die schön bunt waren. In der Wand vor mir war wieder eine Tür.

Die Wände des Schlafzimmers waren orange gestrichen. Das Bett war breit, aber es war kein Doppelbett. Die blaue Bettwäsche harmonierte mit dem Orange.

Ich kniete mich hin und fand die Matratze und den dazugehörigen Schlafsack unter dem Bett. Ich schleppte beides ins Wohnzimmer vor das Sofa. Irgendwas fehlte. Hat sie denn kein Badezimmer, fragte ich mich. Ich ging wieder ins Schlafzimmer, aber dort gab es keine weitere Tür. In der

Küche fand ich sie dann. Neben der Wohnungstür stand ein Schrank und daneben war eine schmale Tür. Das Badezimmer war klein, aber gemütlich. Auf dem Waschbecken stand ein Seifenspender, in dem kleine Entchen in einer blauen Flüssigkeit schwammen. In einem Regal tummelten sich Cremedosen, Shampoo-Flaschen und Parfümflakons. Ich schraubte eine geschwungene Flasche auf und roch daran. Ein blumiger Duft strömte in meine Nase. Ich wusch mir das Gesicht.

Als ich im Schlafsack lag, dachte ich, dass es schön war, hier zu sein. Alles war so aufgeräumt und sauber, als hätte sie Besuch erwartet. Nichts lag auf dem Boden, in der Küche stand kein schmutziges Geschirr herum, das Bett war gemacht. Es gab keine aufdringlichen Gerüche. Nichts deutete auf den Sonnenhof hin. Es war eine andere Welt und ich fühlte mich wohl darin. Das ist eine wirklich nette Wohnung, dachte ich noch einmal und schlief ein.

Bis dahin hatte ich immer gedacht, dass ich in anderen Wohnungen nicht fest schlafen könnte. Auch im Schlaf spürt man, dass man sich nicht am gewohnten Ort befindet. Barbara musste lautlos in die Wohnung gekommen und genauso lautlos durch das Wohnzimmer gegangen sein. Trotz der netten Atmosphäre träumte ich noch vom Sonnenhof. Ich träumte, dass ich nachts dorthin fuhr und entdeckte, dass die Seitentür einen Spalt auf war. Ich wollte nicht hineingehen, aber irgendetwas zog mich rein. Der Gang war dunkel. Ich tastete die Wand ab, fühlte aber nur die Struktur der Raufasertapete und keinen Lichtschalter. Trotz der Dunkelheit ging ich weiter. Der Gang hörte nicht auf. Irgendwann sah ich Zimmertüren auf er linken Seite. Eine Tür stand einen Spalt auf. Ich lugte in den Raum hinein. Es war ein großes Klassenzimmer, in dem keine Kinder saßen. Aber Albert Einstein stand an der Tafel und schrieb Formeln auf. Meine Mutter ging dicht an mir vorbei, bemerkte mich aber nicht. Ich hatte schon Sorge, dass sie mich wahrnehmen könnte, aber sie nahm immer noch keine Notiz von mir. Sie ging auf Einstein zu und sagte: »Endlich habe ich dich gefunden.«

»Guten Nachmittag«, erwiderte er und ich wunderte mich, weil es doch mitten in der Nacht war.

»Hallooo! Lass uns frühstücken!«, rief er weiter. Er ging an meiner Mutter vorbei und fasste mich an der Schulter: »Lass uns frühstücken!«

»Wieso?«, fragte ich.

»Es ist schon drei Uhr nachmittags.«

Ich öffnete die Augen. Eine schöne Frau beugte sich über mich: »Oder willst du nicht frühstücken?«

Es war Barbara. Sie war schon angezogen. Ihre Haare waren offen und noch etwas feucht.

»Soll ich Brötchen holen gehen?«, fragte ich sie.

»Nein, ist schon alles da.«

Die Küche war doch gleich nebenan. Ich hatte keinen tiefen Schlaf. Ich hätte Geschirr klappern hören müssen. Kaffeeduft wehte zu mir herüber. Es roch auch nach gebratenem Ei.

»Ich geh vorher kurz ins Bad«, sagte ich.

Mir fiel ein, dass ich nicht viel anhatte. Als Barbara in der Küche verschwunden war, nahm ich meine Hose und den Pullover vom Sofa und schlüpfte hinein. Ich ging durch die Küche und sah den gedeckten Tisch. In der Mitte standen

Blumen, außerdem noch ein Korb mit Brötchen und Crois-
sants, ein Teller mit Rührei und Speck, eine Aufschnitt-
und Käseplatte, Butter, Marmelade, Honig, eine Schüssel
Quark, Tomaten und Gurken in Scheiben.

»Das ist aber schön«, sagte ich und es klang zum ersten Mal
nicht ironisch. »Frühstückst du immer so opulent?«

»Nein, nur wenn ich Besuch habe. Das meiste habe ich
eben erst gekauft.«

»Dann komme ich jetzt immer zum Frühstück«, sagte ich.

Sie lachte.

Als ich aus dem Bad kam und mich hinsetzte, schien die
Sonne durchs Küchenfenster. Die Wohnküche sah noch
gemütlicher aus als vergangene Nacht. Barbara hatte mir
schon Kaffee eingeschenkt, er dampfte noch.

Der Duft ist das Schönste am Kaffee, dachte ich. Noch
besser als der Geschmack. Bei meinen Eltern hatte ich nie
gefrühstückt, sondern nur Butterbrote mitgenommen. Bei
der Schwester meiner Mutter hatte es immer nur Graubrot
mit Kalbsleberwurst gegeben. Wenn ich mal bei mir frühstückte, hatte ich nur Wurst da und manchmal Honig, der
aber nach kurzer Zeit meist fest wurde. In aller Regel war
das Mensaessen mein Frühstück.

»Nimm dir was«, sagte Barbara, die selbst schon ein Croissant auf dem Teller liegen hatte.

Sie hatte wirklich alles extra eingekauft. Das Marmela-
denglas war noch zu, die Butter noch unberührt, nur der
Honig war schon auf.

»Wieso hast du das alles gekauft?«, fragte ich.

Sie schnitt ihr Croissant auf.

»Na ja, du hast mich ja auch mal zu einem leckeren Essen
eingeladen.«

Das waren doch nur Käsespätzle gewesen, dachte ich. Außerdem hatte ich sie gar nicht eingeladen, das war David gewesen.

Ich wurde verlegen und nahm etwas von dem Rührei und ein Brötchen. Sie ließ mich bei sich schlafen, machte so ein nettes Frühstück und ich war bisher nur garstig zu ihr gewesen. Was konnte ich ihr Nettes sagen?

»Deine Wohnung ist wirklich gemütlich«, sagte ich und versuchte dabei freundlich zu klingen. Ich war nie besonders freundlich oder herzlich gewesen, hatte einfach kein bisschen Talent zum Autoverkäufer. Eigentlich gibt es auch keine herzlichen Männer. Männer können galant sein, nett oder anbiedernd. Aber richtig herzlich können nur Frauen sein.

Barbara war allerdings keine von den herzlichen Frauen. Sie wirkte eher nüchtern und pragmatisch. Keine Frau, die einen zur Begrüßung anlachte, umarmte, Küsschen hier und da und dann einen langen Redeschwall losließ. Ihre ruhige Art gefiel mir aber. Bisher hatten mich immer temperamentvolle Frauen angezogen, weil sie so lebendig wirkten und weil es nicht schwer war, mit ihnen ein Gespräch zu führen. Aber im Grunde waren es keine Gespräche gewesen. Sie hielten Monologe und ich musste zuhören. Wenn man das Gegenteil von sich selbst findet, ist es eigentlich nie das Richtige, dachte ich: Wortkarge Leute werden immer wortkarger und Plaudertaschen plaudern immer mehr.

Barbara lächelte und schaltete das Radio an.

Als wir fertig waren, bot ich ihr an, abzuspülen, aber sie öffnete die Klappe der Spülmaschine. Mir blieb nichts anderes übrig, als beim Abräumen zu helfen. Sie roch frisch und ich kam mir schmutzig vor. Ich fühlte mich, als hafteten die Gerüche vom Sonnenhof noch an mir.

Es gab vieles, was ich sie fragen wollte: Wie ich ihr danken konnte, was sie von mir hielt, ob sie mit meiner Mutter klarkam, ob meine Mutter Freunde im Sonnenhof hatte und so weiter. Aber natürlich fragte ich überhaupt nichts von alledem. Stattdessen nahm ich mir vor, sie irgendwann wieder mal zusammen mit David zum Essen einzuladen.

»Ich muss jetzt nach Hause«, sagte ich, ohne zu wissen, weswegen ich nach Hause musste. Vielleicht um den Sonnenhof-Geruch abzuduschen und mir frische Kleidung anzuziehen. Es war auch Zeit, mal wieder zum Friseur zu gehen und mir einen neuen Schlafanzug zu kaufen.

»Was hast du denn heute noch vor?«, fragte sie. »Es ist so schönes Wetter draußen.«

»Ich muss in die Uni«, behauptete ich.

»Schade, ich dachte, wir könnten spazieren gehen.«

Es war wirklich schönes Wetter und ich wollte Barbara nicht wieder vor den Kopf stoßen.

»Dann geh ich halt später hin.«

»Oetker-Park?«, fragte sie.

Ich war einverstanden.

Wir setzten uns in die Straßenbahn und stiegen direkt am Park aus. Nachdem wir ein paar Runden gegangen waren, setzten wir uns auf die Terrasse des Parkcafés. Ich wunderte mich, dass sie im Dezember Tische rausgestellt hatten. Wahrscheinlich weil es so sonnig war. Barbara war mit einem Terrassentisch einverstanden. In der Sonne war es nicht so kalt. Ich hätte sie gerne eingeladen, aber ich war immer noch nicht dazu gekommen, Geld abzuheben. Wir bestellten beide einen großen Milchkaffee.

Ich dachte an die vergangene Nacht. Würde ich wieder zum Sonnenhof fahren?

»Sieht meine Mutter immer noch Einstein?«

Ich wunderte mich selbst über die Frage.

Barbara antwortete nicht darauf, als wüsste sie, dass das keine Frage war, sondern nur überflüssiges Geplapper.

Meine Mutter hatte auch nicht immer auf meine Fragen geantwortet. Nicht weil es Geplapper gewesen war, sondern weil sie sich meist nicht um andere kümmerte. Als sie wirklich komisch geworden war, gab es für sie nur noch ihre eigene Welt. Verrückte sind wie Betrunkene, dachte ich. Beide merken nicht, wie andere sich fühlen.

»Ob ich heute Nacht wieder hingehe?«, dachte ich laut.

»Ich arbeite heute Nacht nicht. Das ist auch besser so«, meinte Barbara.

Ich wusste, dass sie in der kommenden Nacht nicht arbeitete, aber weshalb sollte das besser sein?

»Die Patienten haben von dem Praktikanten nachts erzählt. Also habe ich meinen Kollegen gesagt, mein neuer Freund hätte mich in der Nacht besucht. Eigentlich ist das nicht erlaubt.«

Sie hatte sich bestimmt einigen Ärger eingehandelt und ich war daran schuld. Statt im Zimmer zu bleiben war ich allein durchs Gebäude gelaufen und hatte an Terrassentüren geklopft.

»Was meinst du, wieso ist sie verrückt geworden? Wieso sieht sie ausgerechnet Einstein? Wieso nicht Superman oder Mickey Mouse?«

Natürlich erwartete ich nicht wirklich eine Antwort. Barbara nahm einen Schluck aus ihrer Jumbotasse und ich hörte schon förmlich ihre Stimme, die sagte, sie wüsste es nicht, man könne das nie genau beantworten und so weiter.

»Ich weiß selber, dass niemand das wissen kann«, nahm ich ihre Antwort vorweg.

»Na ja, einer von vielen Anlässen warst du wohl«, sagte sie zögernd.

»Was?«, rief ich aus. Wurden langsam alle verrückt? Wollte sie mir vorhalten, dass ich als Kind zu dumm gewesen war, um meine Mutter zu verstehen?

»Sie wäre vielleicht eine große Physikerin geworden, wenn sie nicht ungewollt schwanger geworden wäre.«

»So ein Blödsinn!«

Wie konnte sie sich in den Wahn meiner Mutter so reinziehen lassen? Meine Mutter war immer Hausfrau gewesen, und das auch nicht vorbildlich. Eher eine komische Frau, die zu Hause blieb. Ohne Kind hat man als junge Frau keinen Anlass, den ganzen Tag zu Hause zu bleiben. Und das war das Einzige, was meine Mutter wollte: zu Hause bleiben und so lange wie möglich schlafen. Ich war zwar nicht das verhätschelte Wunschkind, aber immerhin ein guter Vorwand. Ich bezweifelte, dass meine Mutter überhaupt Abitur hatte.

»Wieso? Sie hat immerhin zwei Semester Physik studiert«, sagte Barbara.

»Wer sagt das?«

Meine Frage war nicht ernst gemeint. Ich wusste, dass sie vor meiner Zeit bei Aldi gejobbt hatte.

»Es steht in ihren Akten. Sie galt als talentiert. In den zwei Semestern hatte sie einen Job als Kassiererin. Man hat ihr eine Studentenstelle in der Physik angeboten, dann ist sie aber schwanger geworden, hat geheiratet und ist zu Hause geblieben. Wusstest du das nicht?«

Natürlich wusste ich das nicht. Auch Vater hatte mir nie davon erzählt.

»Wieso hat sie mich dann nicht einfach abgetrieben!«

»Weil dein Vater das nicht wollte.«

»Das ist alles großer Blödsinn! Wenn es so gewesen wäre, hätte sie es mir bestimmt erzählt! Sie hätte mit irgendwelchen Formeln geprahlt, anstatt nur so über Einstein zu reden!«

»Vielleicht warst du ja zu klein dazu.«

»Das war ihr doch egal! Sie hatte ja auch keine Hemmungen, mir die ganze Zeit Fremdwörter an den Kopf zu schmeißen!«

Die Leute an den anderen Tischen sahen mich an.

»Deswegen brauchst du nicht so laut zu werden«, sagte Barbara.

Die Sonne verschwand und schlagartig wurde es kalt.

Wir stiegen wieder in die Straßenbahn nach Bethel. Ich hätte am Jahnplatz in meine Bahn Richtung Sieker umsteigen können, aber mein Fahrrad stand noch bei Barbara.

»Willst du noch mit hochkommen?«, fragte sie, als sie die Haustür öffnete. Aber ich hatte schon mein Fahrrad aufgeschlossen und wollte meine Ruhe haben.

»Nein, danke. Ich fahr jetzt nach Hause.«

Ich versuchte dabei höflich zu klingen, aber es klang genervt. Vielleicht war ich wirklich genervt, weil Barbara so tat, als würde sie meine Mutter besser kennen als ich.

»Fährst du heute Nacht noch zum Sonnenhof?«, fragte sie mich.

»Ich weiß noch nicht. Vielleicht.«

»Ruf mich vorher an, wenn du hinfährst.«

Ich nickte.

»Kannst du mir auch Davids Nummer geben?«

»58 03 58. Kannst du dir das merken?«

»Ja«, sagte ich und fuhr los.

Zu Hause duschte ich ausgiebig und rief die Schwester meiner Mutter an.

»Hier ist Patrick. Stimmt es, dass meine Mutter Physik studiert hat? Zwei Semester lang?«

»Ja, wusstest du das nicht?« Echte Verwunderung lag in ihrer Stimme.

Wieso wussten alle anderen mehr als ich? Ich hatte meine Mutter nie richtig gemocht und sie mich auch nicht. Aber ich war insgeheim immer stolz darauf gewesen, sie am besten zu kennen.

Es war das erste Mal, dass ich mit Anne über meine Mutter sprach. Wennschon, dann richtig, dachte ich.

»Wieso hat sie nie über dich gesprochen? Wieso habt ihr euch früher nie getroffen?«

Die Schwester meiner Mutter holte tief Luft.

»Was ist passiert?«, fragte sie, anstatt zu antworten.

»Nichts ist passiert.«

»Und das soll ich dir glauben?«

Wieso gab sie mir nicht einfach eine Antwort auf meine Fragen? Nie hatte ich sie etwas über meine Mutter gefragt. Früher wollte ich nie etwas über meine Mutter wissen. Jetzt war ich in der Stimmung dazu und jetzt blockte sie ab. Ihr konnte es doch egal sein, weswegen ich jetzt fragte.

»Es ist überhaupt nichts passiert! Sag es mir doch einfach!«

Sie mochte es nicht, wenn man in einem gereizten Tonfall mit ihr sprach. Besonders von mir erwartete sie eine Höflichkeit, die schon an Unterwürfigkeit grenzte. Ich wusste, was sie dachte. Sie dachte, dass ich ihr ewig dankbar sein müsste. Weil sie mich aufgenommen und mir das Heim erspart hatte.

»Wie redest du eigentlich mit mir? Und überhaupt, was soll das Ganze?«

Es hatte keinen Sinn. Wenn die Schwester meiner Mutter eingeschnappt war, dann war sie es ziemlich lange. Ich legte auf, ohne mich zu verabschieden. Auch ohne ihre Hilfe würde ich zu Antworten kommen.

Ich rief bei Barbara an.

»Hering.«

»Hier ist Patrick.«

»Willst du schon wieder zum Sonnenhof fahren?«

»Nein, ich will dir das Geld für die Pizza wiedergeben und auch für den Milchkaffee.«

»Ach, das eilt nicht so ...«

»Hast du die Akten meiner Mutter im Kopf?«

»Nicht wirklich, außerdem ...«

»... darfst du sie nicht ausplaudern«, vervollständigte ich ihren Satz.

»Außerdem ist das schon länger her, dass ich da reingeschaut habe«, redete sie weiter.

»Und du unterliegst wahrscheinlich der Schweigepflicht«, beharrte ich noch mal.

»Sie ist schließlich deine Mutter. Was willst du denn wissen?«

»Du tust das doch nicht alles, weil du mich interessant findest! Hat sie dich beauftragt?«

»Wer?«

»Meine Mutter!«

Klick. Sie hatte aufgelegt. Ich ärgerte mich über meine Dummheit. Ich drückte auf die Wahlwiederholung.

»Hering.«

»Ich bins noch mal.«

Sie sagte nichts, fragte noch nicht mal, was ich wollte. Ich wusste es selbst nicht.

»Ich wollte dich zum Essen einladen, aber dazu kam ich ja nicht mehr.«

Es sollte sich charmant anhören, klang aber vorwurfsvoll. Ich wusste nicht, weswegen ich das sagte. Ich hatte nur noch Pizzen im Haus.

»Was gibt es denn?«, fragte sie.

»Ich wollte dich ins *Peking* einladen. David und ich waren kürzlich mal da.«

Aber ich wollte auch nicht unehrlich sein und fügte hinzu: »Außerdem wollte ich dich dann noch etwas fragen … über meine Mutter.«

»Sollen wir uns dort treffen oder soll ich zu dir kommen?«

»Um acht bei mir?«

»Okay.«

Ich hatte noch nie eine Frau auswärts zum Essen eingeladen. Und nun hatte die erste Frau sogar zugesagt. Das war ein Erfolg.

Meine beste Hose war im Schmutzwäschekorb. Es war mal wieder Zeit, Wäsche zu waschen. Ich hatte nur einen Bademantel an, und was an sauberen Sachen im Schrank lag, war ein ausgebleichter Pullover und eine alte Jeans. Ich zog mich an und nahm den übervollen Wäschekorb mit.

Im Treppenhaus kamen mir Tim und Gretel entgegen. Sie waren beide guter Laune. Tim grüßte mich, Gretel nicht. Sie schaute mich aber auch nicht grimmig an. Sie schien mich in ihrer Verliebtheit gar nicht zu sehen.

Alle Waschmaschinen waren frei. Ich stopfte die Wäsche in zwei Maschinen und blieb noch stehen, bis ich das Wasser einlaufen hörte

Wenn man Ordnung in sein Leben bringen will, dann sollte man als Erstes seine Schmutzwäsche waschen.

Ich wollte nicht jede Nacht vom Sonnenhof angezogen werden, durch die Kälte fahren, mit einem Fernglas auf knarrenden Bäumen sitzen wie ein lüsterner Spanner. Ich hasste die Sirene des Rauchmelders, das Rosinenmuster auf den Tischen. Ich hasste die pubertären Bravo-Poster an den Wänden von alten Menschen. Ich würde Barbara jetzt ausfragen und dann meine Ruhe haben. Mit Antworten und einer Ente süß-sauer im Magen würde ich die Nacht gut durchschlafen.

Kaum war ich im Zimmer zurück, klingelte das Telefon. Ich dachte an Tomate. Es war genau die richtige Zeit, ich würde ihm erzählen, dass ich mit einer Frau zum Essen ging. Es war aber Barbara. Sie sagte, ihr Kollege sei krank geworden und sie müsse für ihn einspringen.

»Scheiße!«, rief ich aus.

Sie war erst sprachlos, lachte dann aber.

Sie schlug vor, das Essen zu verschieben. Ich war einverstanden und wartete darauf, dass sie mich wieder einlud, nachts zum Sonnenhof zu kommen. Ich dachte an den Gestank. Aber sie schlug es nicht vor. Ich hätte gezögert und gesagt, dass ich es mir überlegen würde. Irgendwann wäre ich dann doch hingefahren, aber sie schlug es einfach nicht vor.

Die ganze Vorfreude war dahin. Nun durfte ich wieder auf dem Baum sitzen, ohne dass mir eine Tür geöffnet wurde. Ich rief bei David an.

»Hier ist Patrick. Hast du Lust, mal wieder ins *Peking* zu gehen?«

»Wieso nicht?«

Er wunderte sich gar nicht, dass ich seine Nummer hatte.

»Gut, um acht bei mir?«

»Ja, bis gleich.«

Eigentlich ist es gar nicht schlecht, dass er nicht mehr bei Gretel rumhängt, dachte ich. Es ist besser, ihn bei seinen Eltern anzurufen. David würde irgendwann eine Bessere finden. Bis dahin konnte er dem Elend Gesellschaft leisten.

Freunde, die nicht allein sind, können keine richtigen Freunde sein, dachte ich. Sie haben nie Zeit. Aber David hatte für mich ein paar Mal Gretel versetzt und das hatte mir gut getan. Nun hatte Gretel ihn für immer versetzt, und das wegen der Briefkastengeschichte. Mir fiel ein, dass ich seit Tagen nicht mehr in meinen Briefkasten geschaut hatte. Vielleicht kam man im Wohnheim auf den Geschmack, Handtücher in Briefkästen zu stecken, und ich hatte nun auch eins bekommen. Handtücher kann man nie genug haben, dachte ich und ging los.

Immerhin war der Briefkasten nicht leer. Es lag Werbung drin. Komisch, dass sogar Müll besser ist als Leere, dachte ich und stopfte die Werbung in Tims Briefkasten.

Ich ging nach oben und legte mich ins Bett. Der Radiowecker zeigte neunzehn Uhr. Obwohl ich gut geschlafen hatte, fühlte ich mich müde. Meine Augen wurden immer kleiner, bis sie ganz zufielen. Ich wusste, dass das nicht gut war: ein Schläfchen zu machen, wenn es schon dunkel war. Ich bekam jedes Mal Alpträume und an diesem Abend sollte es auch nicht anders sein. Kaum war ich eingeschlafen, träumte ich auch schon. Es klopfte an der Tür, ich ging hin und öffnete. Ein Gerichtsvollzieher stand vor mir. Ich lief aus meiner Wohnung durch Felder und Gestrüpp, und auf einmal stand ich vor dem Haus meiner Eltern. Ich steckte meinen Wohnheimschlüssel ins Haustürschloss und er passte. Ich ging hinein. Meine Eltern schliefen, also tastete ich mich durch den Flur. Ich drückte die Klinke zu meinem Kinderzimmer langsam herunter. »Kinder müssen immer laut sein!«, hörte ich sie rufen.

Es klingelte und ich sah in ein dunkles Zimmer. Erleichterung überkam mich, aber der Nachgeschmack blieb. Ich ging zur Tür, drückte auf den Summer und schaltete das Licht an. Es blendete, es tat gut.

»Hey, du siehst aber verschlafen aus«, rief David. Sein Gesicht war schmaler geworden. Er musste abgenommen haben.

»Hast du eine Diät gemacht?«, fragte ich.

Das war eine blöde Frage. Wenn man so dünn ist wie David und ein Schleckermaul, kommt man nicht auf die Idee, die neueste Kohlsuppendiät auszuprobieren.

»Das ist die Trennkost«, sagte David, »aber heute gibts ja wieder fette Ente.«

»Wirklich? Du machst Diät?«, fragte ich ungläubig. Das konnte doch nicht sein, dachte ich. Bald wird dieser dünne Dackel den Umfang eines Regenwurms haben.

»Trenn-Kost!«, wiederholte David, als hätte ich nicht verstanden.

Ich wusste nicht, worauf er hinauswollte. An diesem Abend wurde jedenfalls nicht abgenommen.

Auf dem Weg ins *Peking* umnebelte mich immer noch dieser Traum. Wer wohnte jetzt in diesem Haus? War der Flur immer noch so dunkel? Wohnte wieder ein Kind in meinem Kinderzimmer?

»Gretel und Tim scheinen schwer verliebt zu sein«, sagte ich und im selben Augenblick bereute ich es schon.

»Können wir bitte über was andres reden?«, sagte David vorwurfsvoll.

»Klar!«

Ich wollte ihm meinen Traum erzählen, aber David wirkte schon bedrückt genug.

»Findest du auch, dass deine Schwester so aussieht wie Audrey Hepburn?«

»Das finden doch alle.«

Mir war also wirklich nichts Neues aufgefallen. Und dabei denkt man immer, man sei der Erste, der etwas bemerkt.

Ich wollte ihn über Barbara ausfragen, traute mich dann doch nicht. Es ist schwierig, etwas über jemanden erfahren zu wollen und gleichzeitig uninteressiert zu tun.

»Hast du dich in Barbara verguckt?«, fragte David.

»Sie ist nett, aber nicht mein Typ«, sagte ich.

Irgendwie stimmte das sogar. Mein Typ waren eigentlich süße kleine Blondinen, vom Aussehen her so wie Gretel oder feurige Südländerinnen mit langen, lockigen Haaren. Barbara war groß, ruhig und irgendwie aristokratisch. Diese Schublade gab es bei mir noch nicht.

»Ich hab keinen bestimmten Typ«, sagte David. »Jedenfalls nicht von der Haarfarbe her.«

»Wie ist deine Mutter?«, fragte ich.

Er wunderte sich gar nicht über den abrupten Themenwechsel und antwortete: »Sehr kumpelhaft, ich kann mit ihr über alles reden.«

»Willst du nicht mal langsam von zu Hause ausziehen?«, fragte ich weiter.

David war bestimmt so alt wie ich und wohnte immer noch zu Hause.

»Zu wenig Geld. Außerdem habe ich praktisch meine eigene Wohnung im Dachgeschoss. Ich kann nicht kochen und ich kann nicht bügeln. Meine Eltern nerven mich nicht. Also, wieso ausziehen?«

Früher dachte ich immer, es wäre für jeden das Schönste, endlich auszuziehen und sein eigenes Heim zu haben. Auf David traf das anscheinend nicht zu. Ich dachte auch immer, dass solche Muttersöhnchen von den Frauen verschmäht würden. Schließlich hat doch niemand Lust, immer die Eltern an der Strippe zu haben oder bei jedem Besuch von ihnen gestört zu werden.

Wir betraten das *Peking*. Hitze, vermischt mit Essensgerüchen, strömte uns entgegen. Meine Beine fingen an zu kribbeln und mein Gesicht brannte. Ich ging automatisch zur linken Ecke, wo der Tisch hinter dem Aquarium stand. Eine Stimme ertönte von der anderen Seite.

»Herr … Herr … hallo Sie Praktikant!«

Es war die dicke Blonde vom Sonnenhof. Mich wunderte, dass sie abends ausgehen durfte.

»Hallo«, sagte ich ohne Begeisterung. Ich war hergekommen, um mir einen gemütlichen Abend zu machen, und darunter verstand ich, den Sonnenhof zu vergessen.

Jetzt war diese dicke Frau hier und das ganze Restaurant wurde zum Sonnenhof.

Sie saß mit einer Frau am Tisch, die ihr ähnlich sah.

Wir setzten uns und bekamen die Speisekarten. Ich spürte, dass die Sonnenhof-Frau die ganze Zeit rüberschielte.

»Lass uns was zum Mitnehmen bestellen«, sagte ich leise zu David.

»Wieso?«

Ich deutete mit den Augen nach links.

»Lass uns zu dir gehen.«

»Aber dann müssen wir erst zum Krankenhaus laufen und wer weiß, wann die nächste Bahn kommt.«

Das stimmte. Hier bleiben konnte ich trotzdem nicht.

Ich schaute in die Karte. Auf der ersten Seite stand die Lösung: ›Wir liefern auch im Umkreis von 8 Kilometern aus!‹

»Wir lassen uns das Essen zu dir liefern«, sagte ich. Ich wollte den Abend nicht bei mir verbringen. Ich wollte eine andere Umgebung. Urlaub von meinen Gedanken. »Und uns können sie gleich mitnehmen.«

David gab sich geschlagen.

Wir bestellten.

»Und zu trinken?«, fragte die Kellnerin.

»Nichts«, sagte ich, »das Essen soll nämlich an ...«

Ich schaute David an.

»Hering, Nachtigallstraße sieben.«

Die Kellnerin guckte verstört.

»Können wir dann auch gleich mitgenommen werden?«

Die Kellnerin schaute noch komischer und ging weg. Dann kam sie wieder und sagte, dass es ginge. David musste alles bezahlen, weil ich immer noch kein Geld abgehoben hatte.

Zehn Minuten später kam der Fahrer mit einem Styroporkarton aus der Küche und wir gingen alle zur Tür hinaus. Ich schaute dabei starr auf meine Füße, als müsste ich ihre Bewegungen kontrollieren. Die Sonnenhof-Frau stierte mich an, das spürte ich.

Der Fahrer hielt sogar kurz bei der Sparkasse an, damit ich Geld abheben konnte.

David wohnte in einer gepflegten Wohnsiedlung. Die Vorgärten waren von niedrigen Zäunen umgeben.

Er hatte wirklich so etwas wie eine eigene Wohnung. Man musste nur durchs Treppenhaus und nicht durch einen Flur.

Seine Wohnung war ganz anders, als ich sie mir vorgestellt hatte. Alles war geschmackvoll eingerichtet. Zwei dicke, bunte Teppiche lagen auf dem Laminat. Zwei helle Sofas standen sich in der Sitzecke gegenüber, über einem hing *Der Tanz* von Matisse. Das Zimmer sah aus wie aus dem Ikea-Katalog. Ins Schlafzimmer schaute ich nicht.

»Ich muss Teller und so raufholen«, sagte David und ging davon.

Auf einem Metallregal stand noch ein Foto von Gretel. Ich fragte mich, weswegen es nicht schon längst in der Schublade gelandet war. Aus einer Laune heraus nahm ich den Bilderrahmen, legte ihn in die oberste Schublade einer Kiefernholzkommode und schob sie wieder zu.

Endlich kam David mit Tellern und Besteck wieder. Das Essen duftete schon die ganze Zeit aus den Kartons und es wäre bestimmt auch lecker gewesen, wenn die Sonnenhofstimmung nicht über mich gekommen wäre. Hier stank es nicht, es gab keine Verrückten, die Polster waren nicht mit einem Rosinenmuster überzogen, es lagen keine Zigarettenstummel auf dem Boden, aber trotzdem hatte die Frau mir alles vermasselt. Was wäre gewesen, wenn meine Mutter im *Peking* gesessen hätte? Direkt am Aquarium-Tisch. Ich stellte mir vor, wie sie zu den Fischen sagte: »Ihr seid aber alle goldige Einsteins.« Ich bekam einen Hustenanfall.

»Schmeckt dir die Ente nicht?«, fragte David.

Ich hustete weiter.

»Wie kommst du denn auf die Idee«, fragte ich gereizt. Ich war immer gereizt, wenn ich mich auf etwas freute und das Erfreuliche dann nicht eintraf. Fischbrötchen, nicht saftig, sondern verdorben, Popcorn, nicht süß, sondern salzig, Chips, nicht salzig, sondern mit Essig, der Sonnenhof im *Peking*.

»Das Essen schmeckt heute tatsächlich nicht so gut wie letztes Mal«, sagte David.

»Nur bei McDoof schmeckts immer gleich«, erwiderte ich, froh darüber, dass es nicht meine Stimmung war, die auch seinen Appetit beeinträchtigte. »Riechen tuts aber genauso gut.«

Trotzdem blieb nichts übrig. Wir mampften alles auf. David kratzte sich noch den letzten Rest Soße aus der Aluminiumschale.

»Es liegt wohl daran, dass die Ente nicht mehr knusprig ist. Nächstes Mal essen wir wieder dort. Wer war die Frau überhaupt?«

»Welche Frau?«, fragte ich, als wüsste ich nicht, wen er meinte.

»Na die im *Peking*, die dich gegrüßt hat. Wo machst du denn ein Praktikum?«

»Wonach sieht die wohl aus?«

»Was weiß ich. Du studierst doch Jura. Du bist ihr Praktikant, also ist sie Rechtsanwältin.«

Ich musste schallend lachen.

»Ich geb dir einen Tipp: Ich bin gar kein Praktikant.«

»Und wieso hat sie das gesagt?«

»Weil Barbara ihr das gesagt hat.«

»Aha«, sagte David, wie einer, der nicht verstand.

»Warst du schon mal da? Im Sonnenhof?«, fragte ich.

»Nö, nur mal von außen dran vorbeigegangen. War das deine Mutter?«

Ich quetschte die Aluschalen zusammen und wollte sie ihm an den Kopf schmeißen, warf sie aber doch in die Tüte.

»Quatsch, die war doch viel zu jung!«

Vielleicht war es das, was mich aufregte. Wenn andere Sonnenhof-Leute dort aßen, hätte es auch genauso gut meine Mutter sein können. Ich konnte mir die Situation einfach nicht vorstellen. Meiner Mutter im Restaurant zu begegnen kam mir genauso absurd vor wie die Begegnung mit einem Neandertaler im Flugzeug.

Vierzehn Jahre lang war ich gut ohne sie ausgekommen. Ich konnte es also auch weitere vierzehn Jahre und weitere vierzehn Jahre.

»Wieso beobachtet man Menschen?«, fragte ich David.

»Hast du schon mal nachts andere beobachtet?«

»Du beobachtest also die Dicke von vorhin?«

Ich wurde ungeduldig. Er verstand aber auch gar nichts.

»Weshalb sollte ich die denn beobachten?«

»Was weiß ich, vielleicht ist sie dein Typ.«

Das verschlug mir die Sprache. »Spinnst du!«

»Du beobachtest sie also nicht.«

Ich konnte weder ja noch nein sagen. Ich hatte sie ja durchaus beobachtet, aber das war nur eine Begleiterscheinung gewesen. Ich schwirrte nicht extra um den Sonnenhof herum, um ausgerechnet diese dicke Frau zu sehen. Und überhaupt, wie konnte er mir nur so einen miserablen Geschmack zutrauen?

Man sollte nicht antworten, wenn alle möglichen Antworten nicht das treffen, was man wirklich meint.

»Barbara arbeitet heute Nacht«, sagte ich.

»Und?«

»Hat sie mal was über mich erzählt?«

»Aha«, sagte er. Er grinste, als hätte er mich durchschaut.

»In letzter Zeit hab ich sie gar nicht gesehen.«

Es war nichts aus ihm rauszuholen. Vielleicht hatte sie wirklich nichts über mich gesagt. Man denkt immer nur, dass die Leute nichts Besseres zu tun hätten, als über einen zu reden.

»Hast du Lust, mit zum Sonnenhof zu kommen?«

»Jetzt?«, fragte David.

Ich nickte. David sah mich fragend an, unschlüssig, ob er das als Scherz auffassen sollte oder nicht.

»Ich glaube, es ist Barbara gar nicht recht, wenn wir während ihrer Arbeitszeit auftauchen.«

»Ich will ja nicht reingehen.«

»Was willst du dann?«

»Ich will mich nur umschauen«, sagte ich, als gäbe es nichts Normaleres zu tun, als um den Sonnenhof herumzuschleichen.

»Ist die Dicke vom Sonnenhof? Du willst sie also doch beobachten.«

Seine Fixierung auf die dicke Frau ärgerte mich. Schließlich wusste er doch, dass auch meine Mutter im Sonnenhof lebte. Dann konnte er sich auch ausrechnen, wen ich wirklich beobachten wollte.

Außerdem ärgerte ich mich über mich selbst. Wieso wollte ich denn schon wieder zu dieser verdammten Anstalt? War ich ein bloßes Stück Eisen, das sich von einem Magneten anziehen ließ? Hatte ich keinen eigenen Willen?

»Ich mach dir einen Vorschlag«, sagte David. »Lass uns hier bleiben, es ist viel zu kalt, um nach Bethel zu fahren. Du kannst doch Barbara im Sonnenhof anrufen.«

Klar, das ist ja auch dasselbe, dachte ich eingeschnappt. Aber im Grunde war es okay. Ich wollte mich eigentlich beherrschen und nachts nicht mehr hinfahren. Es stand auf Messers Schneide. Da half mal wieder nur Zocken. Anstrengend war es immer nur, die Bedingungen festzulegen und dem Wenn-dann-Satz einen Inhalt zu geben. Natürlich wäre es einfacher, eine Münze zu werfen, aber der Reiz lag darin, dass andere mein Schicksal beeinflussten. Man beobachtete gespannt ihr Verhalten, genauso wie man Rennpferde beim Lauf beobachtet. Und wenn man dabei wünscht, dass die Leute sich so oder so verhalten, merkt man, was einem doch lieber ist. Eigentlich weiß man immer, was man lieber will, aber Zocken dient dazu, die Willensschwäche zu überwinden und das Vernünftigere von zwei Möglichkeiten zu tun, während man dabei aber wieder so willensschwach ist, der unvernünftigeren Möglichkeit eine Fünfzig-zu-fünfzig-Chance einzuräumen. Es hatte etwas Göttliches an sich, das Schicksal entscheiden zu lassen.

Ich schaute auf die Uhr. Es war schon elf. Wenn David innerhalb einer Stunde nicht bemerkte, dass das Foto von Gretel weg war, wollte ich hinfahren. Wenn doch, dann nicht.

»Mal sehen«, sagte ich.

»Und, willst du jetzt nicht Barbara anrufen?«

»Ich wollte ja gar nicht mit ihr reden. Wie wärs eigentlich mit einem Tee?«

Ich wusste, dass ich unerlaubterweise das Schicksal beeinflusste. Ich wusste, dass David nach unten zu seinen Eltern gehen musste, um Tee zu kochen. Dass die Stunde dann keine Stunde mehr war.

»Gut, dann kann ich gleich das Geschirr mit nach unten nehmen«, sagte er nichtsahnend.

Ich schaute mich weiter um. Die Dachschräge machte den Raum gemütlich. Auf der Kommode standen zwei Vasen, die bestimmt von seiner Mutter waren.

David kam erst nach einer Viertelstunde wieder. Mit einem Tablett, einer Isokanne, zwei Bechern und einem Teller Weihnachtsgebäck. Er stellte alles auf den Tisch und goss uns ein. Während ich meinen Tee trank, dachte ich an Barbaras Wohnung. Dort waren keine Fotos. Obwohl ich mir auch aus anderen Gründen denken konnte, dass sie nicht in festen Händen war, konnte ich es doch nicht richtig glauben. Die Plätzchen schmeckten gut.

»Hast du die selber gebacken?«

Eine blöde Frage.

»Nee, meine Mutter hat sie gemacht«, antwortete David.

Ich schaute auf die Uhr. Noch eine halbe Stunde bis Mitternacht.

»Komisch, selbst Barbara kann backen, obwohl sie nicht kochen kann. Bei Susie war das auch so.«

Wie um Zustimmung zu ernten, schaute er mich an, aber ich zuckte nur mit den Schultern. Wusste ich denn, ob Susie backen konnte? Er schaute zum Regal, als suchte er dort die Zustimmung, die ich ihm verweigert hatte. Mir schwante was. David schaute ungläubig, stand auf und stellte sich so dicht vors Regal, als sei er kurzsichtig. »Wo

ist sie denn?«, rief er aus und schaute auch auf den Boden.
Es war lange noch nicht Mitternacht.

»Hast du sie gesehen?«, fragte er mich, als müsste ich wissen, was er damit meinte.

»Wen?«, fragte ich betont unschuldig.

»Susie!«

Mein Schicksal war für diese Nacht besiegelt. Ich durfte nicht zum Sonnenhof.

»Sie liegt in der oberen Schublade«, sagte ich und deutete mit dem Kopf auf die Kommode.

David holte das Bild heraus und stellte es wieder auf. Ich fühlte mich ertappt und starrte auf den Keksteller. Eigentlich hatte ich ihn fragen wollen, wieso er immer noch ihr Foto da stehen hatte. Gretel hatte nie ein Foto von David im Zimmer gehabt, weil er angeblich wie eine Bulldogge aussah. Von diesem Tim stand ein Foto auf ihrem Nachttisch, da war ich mir sicher.

Ich schaute zu David auf, aber er sah mich grimmig an und ich dachte, Gretel hat tatsächlich Recht: Er sieht manchmal aus wie eine Bulldogge.

Er wartete anscheinend darauf, dass ich mich entschuldigte. Aber ich wollte erst mal abwarten, was er sagte. Es ist besser, auf einen Angriff zu reagieren, als gleich in irgendeine Abwehrstellung zu gehen, ohne zu wissen, wie man überhaupt angegriffen wird.

Das Schweigen wurde langsam unerträglich.

»Du konntest Susie noch nie ausstehen!«, meckerte er.

Seine Stimme klang komisch. Es war auch komisch, dass dieser gutmütige Dackel nun einer Bulldogge glich.

»Sie mich ja auch nicht«, sagte ich und grinste.

Davids Mundwinkel zuckten leicht nach oben, er strengte sich an, weiter böse zu schauen, lachte dann aber doch.

Ich lag in meinem Bett, hatte die Bettdecke über mich gezogen, aber meine Beine waren immer noch gefroren. Die letzte Bahn war vor meinen Augen weggefahren und ich hatte zu Fuß nach Hause gehen müssen.

Eigentlich war ich froh, dass ich nun im Bett lag, anstatt auf einem Baum zu sitzen und durch die Sonnenhof-Fenster zu schauen. Aber ich verspürte auch den Drang, etwas zu tun. Ich hätte Barbara im Sonnenhof anrufen können. Vielleicht hatte sie nichts zu tun und langweilte sich. Vielleicht aber auch nicht. Ich ließ es sein. Ich ließ sie im Sonnenhof Wache halten, schlief allmählich ein und träumte wieder schlecht. Ich saß wieder auf dem Baum, fror aber nicht. Die Fenster des Sonnenhofs waren verschmiert, man konnte nicht hindurchsehen, nur schemenhaft sah man die Leute. Ich ärgerte mich darüber und wollte wieder absteigen, aber da kam der alte Kadett meiner Eltern angebraust und fuhr gegen den Baum. Ich fiel hinunter und wartete auf den schmerzhaften Aufprall, aber ich spürte nichts.

Es war fünf Uhr morgens und immer noch dunkel, als ich die Augen öffnete. Ich hatte noch das Auto vor Augen und spürte noch, wie ich fiel. Als ich das Licht anknipste, war alles verschwunden. Ich ging zur Wohnungstür und schaltete auch die grelle Deckenleuchte ein. Viel Licht ist nach einem Alptraum immer gut. Man wechselt die Welt.

Die Nummer vom Sonnenhof wusste ich noch, obwohl ich mir Zahlenreihen sonst nie merken konnte.

Ich nahm das Telefon und legte mich wieder ins Bett.

»Sonnenhof, Hering.«

Ihre Stimme klang kein bisschen müde. Als wäre es fünf Uhr abends und nicht fünf Uhr morgens.

»Hier ist Patrick.«

Ich wartete auf ein verwundertes »Schläfst du noch nicht?« Das hätte es mir leichter gemacht, das Gespräch anzufangen.

»Was möchtest du wissen?«, fragte Barbara. Es klang nicht unfreundlich.

»Meine Mutter. Ich will wissen, was in ihren Akten steht.«

Ich erwartete wirklich, dass sie sofort in den Unterlagen stöberte und sie mir vorlas. Sie hatte schon genug verrückte Sachen getan.

Barbara sagte lange Zeit nichts. War sie eingeschnappt?

»Du solltest dich mal tagsüber im Haus melden und einen Termin vereinbaren. Wenn du dich mit ihr triffst, wird sie bestimmt nichts dagegen haben, dass du in ihre Akten schaust. Das ist doch besser als diese Heimlichtuerei.«

»Ich rufe Ende der Woche im Sonnenhof an. Dann mach ich ein Treffen aus«, sagte ich.

Barbara stieß nur ein völlig überraschtes: »Was?« aus.

Das gab mir Genugtuung. Die ruhige, immer sachliche Barbara war also verwundert. Sie hatte geglaubt, mich zu kennen, und war davon ausgegangen noch lange auf mich einreden zu müssen, um mich rumzukriegen. Aber ich sagte einfach zu, wenn auch erst für das Ende der kommenden Woche. Ich ging davon aus, dass sie nun wieder zu ihrem gewohnten Tonfall zurückkehren würde, der immer so gelassen klang.

Stattdessen rief sie fassungslos: »Das ist doch nur ein Witz!«

Es war kein Witz. Es war weniger schlimm, der Frau gegenüberzusitzen, die meine Mutter gewesen war, als jede Nacht bei Minusgraden auf einem unbequemen Ast zu hocken und mich nur durchs Zocken von einem Treffen abhalten zu lassen. Und wenn ich mich davon abhalten ließ, dachte ich trotzdem noch daran. Dann konnte ich auch einmal offiziell hinfahren, mit Termin und allem Drum und Dran. Es würde mich von dem Zwang befreien, nachts hin zu müssen. Meine schlechten Träume würden verschwinden. Alles würde verschwinden. Gut, ich musste damit rechnen, dass sie wieder von dem verdammten Einstein redete oder sagte: »Kinder müssen immer laut sein!«

Aber das Schlimmste, was passieren konnte, war, dass sie sich über meinen Besuch freuen würde. Ich wünschte mir, sie würde mich anschreien, dass ich nie wiederkommen solle. Dann könnte ich getrost nach Hause gehen, müsste nicht mehr an sie denken und nicht mehr in der Kälte stehen.

»Bist du noch dran?«, fragte Barbara.

»Du glaubst mir also nicht«, stellte ich fest.

»Nein, ich glaube dir nicht.«

»Hast du heute Zeit? Ich bring auch Kuchen mit.«

Ich verstand selbst nicht, wieso ich diesen Vorschlag machte.

»Um eins?«

»Ja, bis dann«, sagte ich, legte auf und schlief bei eingeschaltetem Licht wieder ein.

Wenn man eine Verabredung für nachmittags hat, muss man den Wecker nicht stellen. Aber als ich aufwachte, war es schon zwölf. Ich musste mich beeilen.

Kurz nach eins drückte ich auf ihre Klingel. Es tat sich nichts. Ich drückte noch mal und noch mal. Endlich schnurrte die Tür wie eine gutmütige Katze.

Barbara stand in einem glänzenden Schlafanzug an der Wohnungstür. Gelbe Monde und Sterne leuchteten mir von einem blauen Hintergrund entgegen.

»Ich hab verschlafen«, sagte sie entschuldigend und ging sich umziehen. Ich packte den Kuchen aus und deckte den Tisch.

»Erdbeerkuchen! Um diese Jahreszeit!«, rief sie erstaunt und probierte ein kleines Stück davon. Sie wirkte immer noch müde.

Eigentlich haben die Wachen kein Verständnis für die Müden. Sie rufen morgens an, reißen die Leute aus dem Schlaf, weil sie denken, dass doch jeder wach sein sollte. Ich war wach, ich war aufgekratzt, aber ich wusste: Wenn man müde ist, will man seine Ruhe haben. Der Müde ist nicht dankbar dafür, dass er geweckt wird, um die Frische des Tages zu genießen. Außerdem war es spät, der Tag war eh nicht mehr frisch.

»Ich geh jetzt«, sagte ich und stand auf.

»Ich dachte, du wolltest über deine Mutter reden?«

»Du darfst eigentlich nichts sagen und bald werde ich sowieso einen offiziellen Termin ausmachen.«

Sie glaubte mir anscheinend immer noch nicht.

»Wieso bist du dann heute gekommen?«

»Um dir Kuchen vorbeizubringen.«

Erst als ich das sagte, wusste ich, dass ich wirklich nicht wegen meiner Mutter gekommen war. Manche Dinge weiß man erst, wenn man sie ausgesprochen hat.

Ich hätte ihr sagen können, dass ich so schnell wieder gehen würde, damit sie sich ins Bett legen könnte, aber das hätte zu ehrenhaft geklungen. Also ging ich ohne weitere Erklärungen.

Ich war diesmal mit der Straßenbahn gekommen und musste zu Fuß bis zur Haltestelle gehen. Ich steckte meine Hände in die Jackentaschen und ging gemächlich los. Wenn man so langsam geht, bekommt man von der Umgebung viel mehr mit als auf dem Fahrrad. Aus einer Seitenstraße war eine Frau gekommen und ging nun in einem Abstand von zwei Häuserlängen vor mir her. Es war weder ihre Kleidung noch ihre Frisur, die mich stutzig machte. Es war ihr Gang. Die Frau ging mit hängenden Schultern, ihre Arme hingen wie zwei schlaffe Seile an ihren Seiten herunter. Ihr Oberkörper wirkte starr, so, als würde er nicht zu den Beinen gehören, die sich da bewegten. Niemand ging so außer meiner Mutter.

Ihre Haare waren grau und schienen krauser zu sein als früher. Sie waren, wie auch einmal nachts im Sonnenhof, zu einem Zopf zusammengebunden. Die karamellfarbene Daunenjacke kannte ich nicht, aber es war ja auch kein Wunder, dass sie nicht mehr dieselbe Kleidung trug wie damals. Es überraschte mich nur, dass sie eine blaue Jeans anhatte, weil das überhaupt nicht ihr Stil gewesen war. Die Daunenjacke war eigentlich auch nicht ihr Stil. Früher war sie nicht so sportlich gekleidet gewesen. Im Winter trug sie dunkle Mäntel, die bis zu ihren Fußknöcheln reichten, darunter Wollröcke und Strickjacken. Dadurch sah sie damenhafter aus. Es stand ihr besser. Blaue Jeans zu grauen Haaren sehen albern aus. Wenn man alt ist und sich wie ein Teenager kleidet, sticht das Alter noch mehr heraus.

Ich hatte keine Angst, dass sie sich umdrehen und mich entdecken könnte. Ich war nur ein Mann, der zufällig dieselbe Straße hinunterging, das war alles.

In ihrer Daunenjacke sah sie fülliger aus als früher, aber ich wusste, dass das täuschte. Meine Mutter nahm höchstens ab und nie zu. Sie war der einzige Mensch, von dem ich mir nicht vorstellen konnte, dass er je dick werden würde. Wenn ich früher im Religionsunterricht den gekreuzigten Jesus sah, fielen mir immer zuerst die hervorstehenden Rippen auf und ich dachte jedes Mal, dass er noch abgezehrter als meine Mutter aussah. Aber von dieser Jesusfigur konnte ich mir trotzdem vorstellen, dass sie irgendwann mal wieder reichlich essen, zunehmen und kugelig rund werden könnte. Von meiner Mutter konnte ich mir das nicht vorstellen. Das Abgezehrte gehörte zu ihrem Wesen. Man sah sie an und schien förmlich zu hören, wie ihr Gesicht, ihr ganzer Körper sich beklagte, das Leben hätte ihr so übel mitgespielt. Sie sah aus, wie ihre Stimme klang: vorwurfsvoll und ausgezehrt. »Kinder müssen immer laut sein!«

Ihr magerer Rücken unter der dicken Daunenjacke schien mir diesen Satz entgegenzurufen. Unwillkürlich zuckte ich zusammen.

Ihre Beine bewegten sich hastig wie im Zeitraffer. Aber ihre Schritte waren klein, sie kam nur langsam voran. Ich musste in Zeitlupe gehen, um genügend Abstand zu ihr zu behalten.

Die Daunenjacke war nun unten an der großen Straße angelangt. Ich dachte, sie würde mit der Straßenbahn fahren, aber sie ging an der Haltestelle vorbei und stellte sich an die Fußgängerampel. Ich musste noch langsamer gehen.

Ein paar Meter vor der Ampel entdeckte ich glücklicherweise einen China-Imbiss und stellte mich vor den Glaskasten mit der Preisliste. Für einen Imbiss waren die Preise recht happig. Die Frühlingsrolle kostete zwei Euro fünfzig und das Hühnergericht mit Curry sieben Euro fünfzig. Im *Peking* war es nicht teurer und man konnte an gemütlichen Tischen sitzen und bekam das Essen auf Warmhalteplatten serviert. Hier gab es nur drei karge, runde Tische. Ein Mann saß drin und schob sich Fleischbällchen in den Mund. Die Portionen waren viel kleiner.

Hier würde ich nicht essen gehen, nahm ich mir vor.

Ich sah zur Ampel, die inzwischen Grün anzeigte. Die Frau ging schon längst auf der anderen Straßenseite weiter und aus dem Grün wurde Rot. Die Autos fuhren schon wieder an. Der Berufsverkehr hatte eingesetzt.

Der karamellfarbene Fleck auf der anderen Seite wurde immer kleiner, aber das störte mich nicht. Wenn jemand diese Straße weiterging, konnte er nur zum Marktkauf wollen. Die Ampel gab mir grünes Licht.

Ich nahm mir einen Einkaufswagen und schob ihn wie einen durchlöcherten Panzer vor mir her. Was würde sie kaufen? Früher hatte sie vor allem Brot und Konservendosen gekauft. Ihr war es zu mühselig gewesen, Gemüse zu putzen. Der Dosenöffner war ihr liebstes Küchenwerkzeug. »Man soll sonntags nicht arbeiten!«, sagte sie sonntags leicht verschmitzt, zückte den geliebten Dosenöffner und goss dann zwei Liter Hühnersuppe mit Nudeln in den Topf. In den ganzen Jahren hatte sie kein einziges Mal einen Sonntagsbraten gemacht. Zu Weihnachten gab es natürlich auch keinen Festtagsbraten. Vielleicht war ich von Braten nur so fasziniert, weil ich noch nie einen bekommen hatte.

Weihnachten gab es bei uns immer einen Riesentopf Gulaschsuppe. Die kam zwar dann nicht aus der Dose, aber meine Mutter schimpfte jedes Mal so über diese mühselige Arbeit, dass ich mir wünschte, sie hätte Dosengulasch gekauft. Der Topf reichte jedoch für drei Feiertage, so dass ihr das Kochen zwei Tage lang erspart blieb. Schließlich wollte sie sich an Weihnachten ausruhen. Ich wusste nie, wieso sie ausgerechnet an diesen Tagen ausruhen musste. Außer dass die Läden zu hatten, gab es für sie als Hausfrau doch gar keinen Unterschied.

Ich stierte in alle Gänge, verrenkte mir den Kopf. Ohne wirklich nachzudenken schaute ich zwischen den Regalen mit den Dosen viel länger nach, obwohl das Quatsch war. In Heimen muss man nicht selbst kochen. In der Gemüseabteilung war sie auch nicht. Ich ging weiter. Sie konnte alles Mögliche kaufen: Zahnpasta, Taschentücher, einen Fön. Sie konnte in jedem Gang stecken. Eine Person in einem Supermarkt zu finden ist schwieriger, als sie auf der Straße zu verfolgen. Hier gab es unzählige enge Seitengassen. Manche waren so schmal, dass sich die Einkaufswagen berührten, wenn man aneinander vorbeiging. Ich wollte meiner Mutter nicht in so einer Gasse begegnen. Lieber wollte ich weiter durch die breiten Gänge gehen. Wenn sie mir dort entgegenkäme, könnte ich in einen kleinen Seitengang ausweichen.

Ich ging zu den Getränken. Dort war ich noch nicht gewesen. Vielleicht weil ich wusste, dass meine Mutter weder Säfte noch Alkoholisches trank. Bei uns zu Hause hatte es immer nur alle möglichen Sorten Tee gegeben.

»Mach deine Tasche auf oder es gibt noch viel mehr Ärger!«

Das klang nach einem großen Jungen, der einen kleinen Jungen in die Mangel nahm. Ich schaute in den Gang mit den Säften, aber dort stand nur eine alte Oma, die mit zusammengekniffenen Augen versuchte, das Etikett einer Orangensaftflasche zu entziffern. Dann kam der Schnapsgang, aber dort sah ich nur flüchtig rein. Ein Kerl mit kurzer Jacke und breitem Rücken hatte sich dort vor jemandem aufgebaut. Ich ging weiter, aber bei den Weinregalen war niemand.

»Lassen Sie mich in Ruhe!«

Ich zuckte zusammen. Die schrille Stimme war etwas kratziger und leiernder geworden. Trotzdem wartete ich auf einen Satz. Er kam aber nicht. Stattdessen schrie sie: »Ich habe nichts getan! Lassen Sie mich!«

Ich ging zurück und schaute noch mal in den Schnapsgang. Der Breitschultrige hatte sich ein bisschen zur Seite gedreht. Hinter ihm stand eine alte Frau. Die Frau, der ich gefolgt war.

»Nun mach endlich deine Tasche auf, Alte! Oder ich werds selber machen!«, motzte der Typ und griff nach dem Schulterriemen ihrer Tasche.

Die Frau umklammerte ihre Tasche mit beiden Armen, als hielte sie ein Baby fest.

Ich ging ohne zu überlegen auf die beiden zu.

»Hey Sie«, sprach ich den Breitschultrigen an, »lassen Sie die Tasche der Frau los!«

Er sah mich völlig überrascht an.

»Halten Sie sich da bloß raus! Die Alte hat grade eine Schnapsflasche eingesteckt!«

»Wie kommen Sie eigentlich dazu, diese Dame zu duzen und zu beleidigen?«

Ich versuchte so arrogant wie möglich zu klingen. Vor Aufregung zitterte ich ein wenig und meine Stimme auch, aber ich hoffte, dass er es nicht merken würde.

»Außerdem haben Sie auch als Kaufhausdetektiv noch lange nicht das Recht, Leute oder Taschen zu durchsuchen. Entweder zeigen die Kunden freiwillig, was sie in ihren Taschen haben, oder Sie müssen schon auf die Polizei warten.«

Er sah mich an, als redete ich in einer völlig fremden Sprache. Die Frau schaute ich absichtlich nicht an. Vielleicht erkannte sie mich. Dann hätte ich keinen Ton mehr herausgebracht und wäre weggerannt. Also schaute ich weiterhin direkt in die Augen des Kaufhausdetektivs. Er schien etwas verunsichert. Aber er wusste nicht, was er mit der Frau nun tun sollte.

»Ich werde mich bei Ihrem Chef über Sie beschweren«, sagte ich, um noch eins draufzusetzen. Natürlich bluffte ich nur. Er konnte sie festhalten und die Polizei rufen. Ich glaubte ihm, dass die Frau eine Flasche in der Tasche hatte. Er schaute mich an, als wollte er von meinem Gesicht ablesen, ob ich nur ein aufgeblasener Wichtigtuer war oder ob ich meine Drohungen auch in die Tat umsetzen würde. Ich setzte meine Pokermiene auf, aber unter der Haut schien alles zu blubbern.

Ich hasste leere Drohungen. Aber ich musste quatschen, bis er Kopfschmerzen bekam: »Die Frau hat die Flasche nur eingesteckt, weil sie keine Münze für den Einkaufswagen hatte. Und ihre Handgelenke sind zu kaputt, um sie durch den ganzen Laden zu tragen. Wir gehen jetzt zur Kasse und bezahlen die Flasche. Und die Sache mit der Beleidigung, die überlegen wir uns dann noch mal.«

Ich sah ihn triumphierend an – zu früh, wie sich herausstellte.

»Sie können mir nichts vormachen!«, schnauzte er. »Die Alt- ... die Frau ist hier bekannt. Die hat schon öfters Schnaps mitgehen lassen. Hat schon seit Monaten hier Hausverbot. Die stammt aus der Klap- ... aus der Anstalt!«

Er grinste mich siegessicher an und stemmte beide Hände in die Hüften. Die Angeberpose beherrschte er wirklich perfekt.

Gut, er hatte die besseren Karten. Aber man kann auch mit schlechten Karten und Kaltblütigkeit siegen. Ich blieb ruhig, obwohl ich wusste, dass ich im Grunde schon geschlagen war.

»Okay«, sagte ich. »Haben Sie etwas zu schreiben?«

»Wieso?«, fragte er irritiert.

»Ich will mir zwei Namen notieren. Ihren Namen und den Ihres Chefs.«

Er schaute mich nervös an.

»Gehen Sie zur Kasse und lassen Sie sich nie wieder hier blicken!«, sagte er schließlich in einem leisen, drohenden Tonfall.

»Auf Wiedersehen«, sagte ich überfreundlich. »Ich wünsche Ihnen noch einen wunderschönen Tag.«

Mit einer wegwerfenden Handbewegung stapfte er wütend davon.

Ich vermied es immer noch, die Frau anzuschauen. Sie beobachtete mich bestimmt von der Seite, aber ich versuchte, nicht daran zu denken. Und wie immer, wenn ich unbedingt an etwas anderes denken will, sagte ich mir in Gedanken ein Rezept auf.

Ich entschied mich für Lasagne: 8 Lasagneblätter, 400 g Hackfleisch, 2 Zwiebeln …

Als ich beim Kochen der Lasagneplatten angekommen war, standen wir auch schon an der Kasse. Die Frau reichte mir wortlos ihre Tasche und es kam kein Protest, als ich den Reißverschluss aufzog. Zwei Flaschen Wodka Gorbatschow glitzerten mich an. Ich stellte sie aufs Band und vermied es immer noch, meinen Blick auch nur in die Richtung der Frau zu lenken.

»Zwölf achtundfünfzig«, sagte die Kassiererin.

Jetzt erst fiel mir ein, dass ich gar nicht so viel Geld dabeihatte.

In meinem Portemonnaie steckte nur noch ein Zehner und kein Kleingeld.

Hätte sie nur eine Flasche geklaut und nicht dreisterweise zwei, hätte ich problemlos bezahlen können. Ich hatte Lust, der Frau einen vorwurfsvollen Blick zuzuwerfen, aber das schaffte ich immer noch nicht.

»Ich lass eine Flasche hier«, sagte ich.

Am liebsten hätte ich beide Flaschen dagelassen, aber das hätte noch komischer ausgesehen. Brot für die Welt, Wodka für die Gestrandeten, dachte ich.

Die Verkäuferin drückte mir den Kassenbon in die Hand und ich gab der Frau ihre Tasche zurück, während ich auf meine Füße schaute. Ich hatte Angst davor, dass sie etwas sagen könnte. »Patrick, du bist aber groß geworden« oder »Kinder müssen immer …«

Sie sagte aber nichts, vielleicht blieb ihr auch keine Gelegenheit, etwas zu sagen, denn ich lief mit Gorbatschow in meiner Hand davon. Alle sahen mir nach. Und ich konnte mir vorstellen, was sie dachten: ein Alki.

Ich schien wie zweigeteilt. Ich wollte weiterlaufen, schneller laufen und nie wieder stehen bleiben. Aber meine Lungen und meine Beine wollten nicht mehr. Ich ging nur noch. Trotz der Kälte merkte ich, wie die Hitze in mir wallte, als hätte man mich mit glühenden Kohlen ausgestopft.

Zu Hause stellte ich die Flasche Gorbatschow auf den Tisch. Ich schaltete den Fernseher ein, aber es liefen nur Talkshows. Ich rief Barbara an, aber sie war nicht zu Hause. An diesem Tag war es so merkwürdig ruhig im Wohnheim.

Ich bin zwar nie ins Heim gekommen, aber Pflegerwohnheim ist doch auch ein Heim, dachte ich. Komisch, dass man ins Heim kommt, wenn man sein Heim verliert. Tierheim, Altenheim, Kinderheim. Wer will schon in einem Pflegerwohnheim alt werden? Oder in einem Pflegeheim?

Ich schwang mich aufs Fahrrad und fuhr Richtung Bielefeld-Schröttinghausen. Als ich am Spielplatz ankam, sah er ganz anders aus als damals mitten in der Nacht. Glasscherben lagen verstreut auf dem Gehweg und auch im Sand. Es waren keine Kinder zu sehen. Vielleicht, weil es Dezember war, vielleicht wegen der Scherben. Nur ein paar Jugendliche saßen auf einer Bank und tranken Bier. Aus einem Radio dröhnte laute Techno-Musik.

Als ich an unserem alten Haus ankam, reichte es mir nicht mehr, es nur von außen anzuschauen.

Früher hatten manchmal Leute bei uns an der Haustür geklingelt, weil sie irgendeine Adresse nicht finden konnten. Unser Haus lag direkt an der Straße, aber einige andere sah man nicht. Dazu musste man erst in einen Feldweg einbiegen und mehrere hundert Meter weiterfahren.

»Wissen Sie, wo das Haus Nummer 137 ist?«, fragten die Leute meine Mutter, und sie antwortete immer genervt: »Hundert Meter weiter am Feldweg rechts.«

Nun prangte ein weißes Schild am Feldweg: Zu den Häusern 137, 139, 141. Aber es gibt immer Leute, die Schilder übersehen.

Ich stellte mein Fahrrad am Zaun ab und durchquerte den Vorgarten. Ein mulmiges Gefühl machte sich in meinem Bauch bemerkbar, wie in einer Achterbahn, wenn man gerade in die Tiefe stürzt.

Früher waren wir manchmal im Phantasialand gewesen. Dort fuhr ich mit der Bob-Bahn und stellte mich immer wieder an, um noch mal zu fahren. Sogar meine Mutter hatte an diesen Tagen gute Laune, obwohl sie Menschenmengen hasste und auch die kreischenden Kinder. Vater fuhr ab und zu mit mir mit, meine Mutter nie, was ich nicht verstehen konnte. Schließlich waren wir da, um Spaß zu haben. Sie war damit zufrieden, auf einer sonnigen Bank zu sitzen. »Tapetenwechsel«, sagte sie dann.

Ich hatte sie nie fröhlich oder glücklich gesehen. Was für andere Glücklichsein war, war für sie wohlige Zufriedenheit. Und wenn wir im Sommer Ausflüge unternahmen, sah sie in der Sonne sitzend immer zufrieden aus.

Die Haustür war neu. Ich drückte auf die Klingel. Ding dang dong. Sogar der Klingelton hatte sich verändert. Früher hatte sie ein schrilles Geräusch von sich gegeben.

Eine rundliche Frau, Mitte dreißig, öffnete die Tür und schaute mich überrascht an.

Eigentlich hätte ich jetzt etwas sagen sollen, aber der Geruch, der mir entgegenströmte, hinderte mich daran. Es roch wie früher. Gleichzeitig sah ich, dass nichts mehr wie früher war.

Im Flur lag Parkett und die Wände waren weiß. Aber es waren gar nicht diese Veränderungen, die mich verwirrten. Es war die Helligkeit im Flur. Wenn ich bisher an dieses Haus gedacht hatte, hatte ich mich immer zuerst an den dunklen Flur erinnert. Es war so, als würde man in einen Keller treten. Ich bemerkte, dass die Wohnzimmer- und die Küchentür nicht aus Holz waren, sondern aus Glas. Das Licht aus den Zimmern durchflutete jetzt den Flur.

»Ja?«, fragte mich die Frau nicht unfreundlich.

»Ich suche das Haus Nummer 137«, sagte ich brav meinen Text auf. »Das muss doch irgendwo hier in der Nähe sein?«

»Da müssen Sie dort in den Feldweg einbiegen«, antwortete sie und zeigte in die Richtung.

»Vielen Dank!«

Sie schloss die Tür wieder und ich ging zu meinem Fahrrad. Natürlich fuhr ich nicht in den Feldweg, sondern die Straße weiter. Ich versuchte, nicht auf den knorrigen Baum zu schauen, und dann war ich auch schon wieder in meiner Wohnung, wo die Flasche Gorbatschow stand.

Als Kind denkt man, dass die Eltern nie graue Haare und Falten wie Omas und Opas bekommen. Als Kind wird man nur selbst älter. Die Eltern bleiben so, wie sie sind.

Ich wollte mich nicht wieder volllaufen lassen. Ich musste es hinter mich bringen. Die Vergangenheit musste entweder richtig ausgehoben werden oder für immer zugeschüttet. Ich konnte sie nicht ewig belauern.

Der Fahrtwind musste mich ganz schön ausgekühlt haben, aber davon merkte ich nichts. Ich hätte auch nichts gemerkt, wenn man mir glühende Brandzeichen auf die Haut gedrückt hätte. Diesmal fühlte ich mich nicht wie ein Voyeur, denn ich wollte nicht wie die Safari-Touristen im sicheren Bus bleiben. Ich hatte vor, in die Höhle des Löwen zu gehen, ohne Peitsche. Gleich würde mich der Löwe fressen. Ich würde für immer in seinem Schlund stecken bleiben und zappeln.

Das Zimmer war wieder hell erleuchtet. Ich stand vor der Terrassentür, sah die vergilbten, kahlen Wände und rechts ein Stück von einem schmalen Bett. Auf einem niedrigen Tisch neben einer genauso niedrigen Kommode stand ein übervoller Aschenbecher. Die Zigarettenstummel tummelten sich darin wie gekrümmte Würmer im Schmutz. Ich entdeckte aber weder Bravo-Poster noch klebrige Orangenschalen und darüber war ich froh.

Ich zog an der Tür, nur so, aber sie ging auf. Unverschlossene Türen, gardinenlose Fenster, Zigaretten und Wodka. Alles sagte mir: Sie kann es nicht sein. Ich zog die Tür weiter auf und trat ein. Es roch wie früher nach Kölnisch Wasser. Nicht nur Häuser strömen also über Jahre hinweg den gleichen Geruch aus. Es roch so, als hätte sich ein Stück Vergangenheit in die Gegenwart verirrt.

Vor einem Regal blieb ich stehen. Eine kleine Kaffeemaschine, verschiedene Blechdosen, etwas Geschirr. Auf dem untersten Brett standen zwei buntgeblümte Fotoalben, die überhaupt nicht zu dem tristen Zimmer passten. Ich nahm sie heraus und setzte mich an den Tisch. Langsam wurde ich mir immer sicherer, dass dies nicht das Zimmer meiner Mutter sein konnte. Unsere Alben waren braun gewesen. Gleich würde ich den Apfel der Erkenntnis schlucken. Mir würden die Augen aufgehen und ich würde wissen, dass diese alte Frau meiner Mutter nur ähnlich sah.

Ich schlug das obere Album auf und sah mich von einem Kettenkarussell herabwinken. Meine Haare waren damals noch hell, fast blond gewesen. Ich trug ein grün-blau gestreiftes T-Shirt und eine Jeanslatzhose. Das musste während der Grundschulzeit gewesen sein.

Von Seite zu Seite wurde ich immer jünger, bis ich ein Baby war. Babys sehen alle gleich aus. Dann Hochzeitsfotos von meinen Eltern. Vater wirkte zufrieden, meine Mutter nicht. Sie sahen so jung aus, als hätten sie das Leben noch vor sich, aber die Fotos waren vergilbt.

Im zweiten Album waren die Fotos nicht mehr zeitlich geordnet. Fotos von Freizeitparks, dann von meinem ersten Schultag, dann von mir auf meinem ersten Fahrrad mit Stützrädern.

Ich fragte mich, ob ich nicht ein paar Fotos herausreißen und mich davonmachen sollte. Schließlich hatte ich die Mutprobe bestanden, und die Fotos wären die Trophäe gewesen. Aber was hätte ich damit machen sollen?

Diese alte Frau vom Marktkauf, die Frau, die in diesem Zimmer wohnt, ist nicht meine Mutter, sagte ich mir wieder. Sie hat die Fotoalben nur gestohlen und sie ins Regal gestellt. Barbara hatte mir einmal erzählt, dass die Bewohner sich alle gegenseitig bestahlen.

Ein Schlüssel wurde ins Schloss gesteckt und umgedreht. Die Tür ging auf und die alte Frau vom Marktkauf stand dort. Sie sah mich ausdruckslos an und ich wollte sie zynisch fragen, ob ich ihr die Flasche Gorbatschow wiedergeben solle. Natürlich bekam ich meinen Mund nicht auf. Dann hatte ich Angst, sie könnte losschreien wie die alte Hexe von der oberen Wohngruppe. Sie blieb aber stumm und sah aus wie eine sizilianische Madonna. Der Türrahmen um sie herum wirkte wie ein eckiger, verblasster Heiligenschein. In ihrem Gesicht spiegelte sich Unruhe wieder und plötzlich verschwand sie wie ein verscheuchtes Tier.

Ich wartete auf die Nachtwache, die sie bestimmt gleich rufen würde. Trotzdem stand ich nicht auf. Sie hatte die Zimmertür offen gelassen. Man konnte den schmalen Flur sehen. Fernsehgeräusche vom Aufenthaltsraum drangen nun leise ins Zimmer. Auf was wartest du, fragte ich mich. Ich hörte, wie eine Tür aufging. Die Geräusche vom Aufenthaltsraum wurden lauter und dann wieder leiser. Kam jetzt die Nachtwache?

»Ach, Sie sind wieder da!«

Die dicke Frau schien entzückt zu sein: »Wieso sind Sie im *Peking* so schnell wieder gegangen?«

Sie grinste über beide Ohren: »Sie hätten sich doch zu uns setzen können.«

Gerade deswegen bin ich ja gegangen, dachte ich.

»Was tun Sie denn hier in Frau Müllers Zimmer?«

Ich antwortete nicht, sondern schaute von einer Zimmerecke zur anderen.

»Ach, wie heißen Sie eigentlich?«

Müller, dachte ich und sagte: »Meier.«

»Wo ist die Frau Müller denn hin?«, plapperte sie weiter und fragte dann übergangslos: »Finden Sie mich auch süß?«

Die Frau war anstrengend, ich bekam Kopfschmerzen.

»Ja ja«, sagte ich gleichgültig und ging zur Terrassentür.

»Hey, Herr Praktikant, wieso gehen Sie denn nicht durchs Haus?«, rief sie mir hinterher.

Ich lehnte mein Fahrrad gegen die Hauswand und drückte auf die oberste Klingel. Der Türsummer ertönte schneller, als ich dachte. Als ich hochkam, stand niemand an der Tür, sie war aber offen. Nachdem ich noch zweimal an die Tür geklopft hatte, ging ich hinein. Barbara stand an der Arbeitsplatte und löffelte gerade losen Tee in einen Filter.

»Willst du auch einen Tee?«, fragte sie ohne aufzuschauen.

Woher wusste sie, dass ich es war?

»Ja«, antwortete ich.

Ich war nicht wegen meiner Mutter gekommen. Meine Mutter war jetzt Vergangenheit. Sie war aus dem Zimmer gegangen. Sie hatte mir gezeigt, dass sie nichts mehr mit mir zu tun haben wollte.

Es ging mir allein um Barbara. Ich wollte nicht, dass alles so blieb. Ich wollte auf alle Fragen eine Antwort haben.

Als die gläserne Kanne auf einem Porzellanstövchen stand, starrte ich lange in den bernsteinfarbenen Tee. Wie sollte ich es sagen?

»Willst du Weihnachten kommen und Gans mit mir essen?«, kamen die Worte aus meinem Mund geholpert.

Es gab niemanden auf dieser Welt, der einer Frau eine blödere Frage stellen konnte. Sie schaute mich an, als sei ich betrunken.

Dann antwortete sie: »Ja, wenn du mich einlädst.«

Zuerst war ich erleichtert, aber vielleicht wollte sie ja nur wegen der Gans kommen und nicht meinetwegen. Meine Frage war damit immer noch nicht beantwortet.

»Was findest du eigentlich an mir?«

Erst nachdem ich den Satz ausgesprochen hatte, fiel mir ein, dass ich ihr so schon etwas unterstellte.

Sie schenkte sich Tee nach. Meine Tasse war noch voll. Ich war viel zu aufgeregt, um irgendetwas zu trinken.

Barbara schaute in ihre Tasse und zog eine ernste Miene, als müsste sie gut nachdenken.

Ich verschränkte meine Hände, damit sie nicht mehr zitterten. Sogar die Flamme im Stövchen flackerte.

»Ich mag Männer, die kochen können«, sagte sie bedächtig. »Außerdem mag ich keine Angeber, Charmeure oder Machos. Ich mag, wie du aussiehst, wie du dich gibst, und ich glaube, dass du mir nicht unähnlich bist.«

Und als müsste sie sich für den kleinen Vortrag belohnen, nahm sie die Tasse und leerte sie in einem langen Zug.

Ich war verlegen und fragte mich hektisch, was ich darauf antworten sollte.

Ich hätte ihr jetzt sagen können, was mir an ihr gefiel, aber ich konnte das nicht so präzise in Worte fassen. Vielleicht war ich nur zu aufgeregt, vielleicht wusste ich es auch nicht.

Zum Glück klingelte das Telefon, und Barbara ging aus dem Zimmer.

Nachdem ich die ganze Kanne ausgetrunken hatte, kam sie endlich wieder und setzte sich.

»Warst du bei deiner Mutter?«, fragte sie.

Barbara war kein seelischer Mülleimer. Ich wollte mit ihr nicht nur über den Sonnenhof reden. Mir fiel die Gorbat-schowflasche auf meinem Tisch ein und ich war froh, dass ich sie nicht in mich reingekippt hatte und nun lallend auf dem Fußboden lag.

»Lass uns über was andres reden«, sagte ich.

»Bernhard hat grade angerufen. Frau Hellwig, die Frau, die dich süß findet, hat ihm von dem Praktikanten erzählt. Er hätte bei Frau Müller im Zimmer gesessen und Frau Müller ist seitdem verschwunden.«

Ich saß also auf der Anklagebank und konnte nicht mehr leugnen. Zwei große Augen waren auf mich gerichtet, aber ich hatte das Gefühl, als seien es Hunderte. Barbara hatte mich zum Sonnenhof geführt und gesagt, ich sei der Praktikant. Sie hätte meine Verteidigerin sein müssen, aber ich wusste nicht genau, in welcher Rolle sie sich selbst sah.

»Frau Müller ist nachts nie außer Haus«, fuhr sie in einem Ton fort, als sei es irgendeine Patientin und nicht meine Mutter, »deswegen macht er sich Sorgen. Sie geht auch nie zu anderen ins Zimmer.«

Sie sah mich an, als müsste ich etwas dazu sagen. Woher sollte ich denn wissen, wo meine Mutter nachts hin-lief?

»Ich kann mir nicht vorstellen, dass du dort warst«, sagte Barbara.

Meine Mutter war weggelaufen, weil ich ins Zimmer gekommen war? Vierzehn Jahre lang war es umgekehrt gewesen.

»Wieso kannst du dir das nicht vorstellen?«

Barbara legte ihren Kopf leicht schief, als würden die Gedanken dadurch besser fließen. Dann sagte sie leise: »Ich weiß es nicht.«

Es gab etwas, das sie nicht wusste? Bisher hatte sie immer irgendwelche Antworten parat gehabt.

Draußen fing es an zu schneien. Der Wind blies die weißen Flocken gegen das Fenster. Sie klebten an der Scheibe, als wollten sie hineingelassen werden.

Manchmal will man Dinge, die schlecht für einen sind.

Ich stellte mir vor, wie sich die Schneeflocken auf dem Gesicht meiner Mutter niederließen.

Ihr Zimmer im Sonnenhof war warm gewesen und es hatte nicht nach Urin gerochen. Früher hatte sie nur das dunkle Haus, Vater und mich gehabt. Damit schien sie nicht glücklich gewesen zu sein. Nun hatte sie das Zimmer in einer Anstalt. War sie nun glücklicher? Meine Mutter schien dort keinerlei Kontakte geknüpft zu haben. Ich dachte an die alte Hexe, an Frau Hellwig und die anderen Gestalten in den Aufenthaltsräumen. Ich konnte meine Mutter verstehen. Sie sah zwar Einstein, aber sie war nicht so verrückt wie die anderen. An Einstein durfte man nicht rütteln, aber sie log nicht, schleimte sich nicht ein und in ihrem Zimmer lagen keine klebrigen Orangenschalen herum. Sie war nicht für den beißenden Uringeruch verantwortlich und sie schrie nachts nicht durchs Haus.

»Ich geh sie suchen«, sagte ich.

»Wo denn? Du kennst dich doch in Bethel gar nicht aus.«

Natürlich war es Quatsch, einfach herumzulaufen und nach ihr zu suchen – und vielleicht klappte es ja trotzdem. Wenn man niemanden hat, irrt man die ganze Zeit nur umher und sie hatte bestimmt niemanden.

»Ich schau mich mal um«, sagte ich, während ich meine Jacke überstreifte.

»Ich komme mit«, sagte sie.

»Nein, danke«, rief ich ihr von der Tür aus zu und war schon draußen.

Die helle Schneedecke hob sich von dem schwarzen Himmel ab und dämpfte die Schritte. Das Fahrrad ließ ich stehen.

Das Zimmer war dunkel, die Terrassentür verschlossen. Ich drückte meine Stirn gegen die Scheibe. Niemand lag im schmalen Bett. Sie war noch irgendwo draußen unterwegs.

Ich lief den Weg zum Marktkauf hinunter und einen anderen wieder hoch, bog in kleine Querstraßen ein, graste alles ab. Der Schnee drang in meine Schuhe. Die Socken waren vorne an den Zehen genauso feucht wie meine Haare. Obwohl es immer noch weiterschneite, beschloss ich, nach Schröttinghausen zu gehen. Dieser Name hatte in meinen Ohren schon immer hässlich geklungen, nach »Schrott« eben. Als Kind dachte ich, auch »Entenhausen« liege in Bielefeld. Vielleicht irgendwo hinter Babenhausen. Oft lag ich nachts im Bett und fragte mich, ob ich mich nicht heimlich hinausstehlen sollte, um so lange die Straße entlangzulaufen, bis ich endlich nach Entenhausen kam.

Ich glaubte eigentlich nicht daran, dass meine Mutter dorthin gegangen war, aber ich wusste einfach nicht, wo ich sie sonst suchen sollte. Nichts ist nervenzerreißender als Däumchen zu drehen und auf eine Nachricht zu warten. Wenn man geht, entlädt man sich. Und Kälte kann eine lindernde Wirkung haben. Meine Mutter hatte mir immer Eiswürfel aufs Knie gelegt, wenn ich hingefallen war.

Manchmal hatte ich weitergeheult, obwohl es nicht mehr so schlimm gewesen war. Dann hatte sie mir ein Wassereis mit Zitronengeschmack gebracht.

Ich war der einzige Mensch auf der Straße. Die Autos waren zugeschneit. Jalousien waren heruntergelassen, schwere Vorhänge zugezogen. Der Wind blies und blies. Die Schneeflocken rauschten herum wie Riesenschwärme flügelloser Insekten. Allmählich bereute ich es, ohne Sinn und Verstand losgezogen zu sein. Ich hätte mir noch zwei Pullover und meine Stiefel anziehen sollen.

Ich dachte an meine warme Wohnung. In Winternächten liebt man alles, was einen von der Kälte trennt, sie davon abhält, in einen einzudringen.

Kein Mensch war auf der Straße. Meine Mutter war vielleicht doch irgendwo zu Besuch. Nur ich stapfte um diese Zeit durch die Gegend.

Wenn man verrückt genug ist, in einer Dezembernacht mit nassen Füßen nach Schröttinghausen zu laufen, ist man auch verrückt genug, Geister zu sehen.

Ich sah einen Geist mitten in dem Schneegestöber. Er stand ausgerechnet vor diesem Baum an der Kurve. Jetzt war es so weit. Ich wurde genauso wie meine Mutter. Nur war ihr Geist ein Nobelpreisträger. Mein Geist vollführte nur komische Bewegungen. Wenn ich schon verrückt wurde, wollte ich es wenigstens genau wissen. Ich ging auf den Geist zu. Eine Gänsehaut konnte ich ohnehin nicht mehr bekommen.

Der Geist trug eine karamellfarbene Jacke. Ich stoppte einige Meter hinter ihm. Der Geist war meine Mutter. Sie schlug mit einem Schirm gegen den Baum. Als kämpfte sie gegen Windmühlen.

»Mutter!«, rief ich.

Ein Windzug riss die Schallwellen mit.

Sie drehte sich um. Ihr Gesicht war vom Schnee ganz nass und rot vor Anstrengung, und der Sturm hatte ihre Haare zerzaust. Wie ein Kind nach dem Tollen sah sie aus.

Der Schirm fiel auf den Boden. Die Schneedecke dämpfte den Aufprall. Sie starrte mich an, hob den Schirm wieder auf und kam auf mich zu.

Ob ihre Wahnvorstellungen jetzt schon so groß waren, dass sie mich für einen Baum hielt? Wollte sie jetzt auf mich eindreschen?

Aber sie blieb vor mir stehen und drückte mir den Schirm in die Hand und zeigte auf den Baum. Ich wusste, was ich tun sollte. Während ich auf den Baum einhieb, gingen mir tausend Gedanken durch den Kopf. Was machte ich dort bloß? Wieso stand ausgerechnet dieser einzelne Baum an dieser Stelle?

Der Baum war alt und sah aus wie ein drahtiger Mensch. Die Drahtigen sind robuster als die Dicken, heißt es. Bei den Bäumen schien das auch so zu sein.

Das war bescheuert. Wenn der Baum einem Auto stand-gehalten hatte, dann konnte ihm meine lächerliche Attacke schon überhaupt nichts anhaben. Ich warf den Regen-schirm in hohem Bogen weg. Er drehte sich zunächst wie ein Bumerang, landete dann aber dort, wo er landen sollte: weit weg.

Dann blieb ich regungslos stehen, so wie ich immer im dunk-len Flur gestanden hatte, wenn ich grade eine Tür zugezogen hatte und auf die unsichtbare Stimme wartete: Kinder müssen immer laut sein! Ich rührte mich dann immer eine ganze Ewigkeit nicht mehr, weil ich nicht laut sein wollte.

Aber wir konnten dort nicht ewig stehen bleiben. Die Kälte kroch mir durch den Körper und gewann langsam Oberhand. Ich dachte an Heizkörper und Daunendecken.

»Lass uns gehen«, sagte ich ohne zu wissen wohin.

Sie antwortete nicht. Ich setzte mich in Bewegung. Merkwürdigerweise in Richtung unseres ehemaligen Hauses. Sie trottete hinter mir her. In meiner Vorstellung war es immer anders gewesen. Ich hatte gedacht, dass sie auf mich einreden und ich schweigen würde, wenn wir uns mal begegnen würden. Jetzt war ich mir nicht mehr sicher, ob Schweigen ein Zeichen von Stärke oder Schwäche war.

Sie ging drei Meter hinter mir. Ich nahm an, dass ich einfach zu schnell war, und verlangsamte meinen Schritt. Sie blieb trotzdem immer in diesem Abstand hinter mir, egal wie langsam ich ging, also legte ich wieder einen Zahn zu. Vor unserem ehemaligen Haus blieb ich stehen und hoffte, dass sie nicht verrückt genug war, dort an der Tür zu klingeln. Sie stand neben mir vor dem Metallzaun und betrachtete das Haus.

Vierzehn Jahre zuvor hatten wir dort geschlafen, wo fremde Leute jetzt unseren Platz einnahmen. Die Vorhänge waren zugezogen, sie lagen nun in den abgedunkelten Zimmern und wir standen in der hellen Schneelandschaft. Nur durch das dunkle Glas der Haustür schimmerte etwas Licht. Sie ließen das Flurlicht brennen, hatten also auch nachts die Dunkelheit aus dem Flur genommen.

Sie wandte sich ab und ging die Straße wieder zurück. Ich überholte sie und ging voraus. Wieder kam uns niemand entgegen, als seien wir die einzigen Menschen in Bielefeld. Am Willy-Brandt-Platz ging sie nach rechts und ich nach links.

Es war sechs Uhr morgens, als ich in meine Wohnung kam. Das grelle Licht und die stickige Wärme verscheuchten die absurde Atmosphäre der stürmischen Schneelandschaft. Auf dem Tisch stand immer noch die Flasche Gorbatschow. Ich ließ sie dort stehen, zog mich aus und legte mich ins Bett. Mir war immer noch eiskalt. Alles war so sinnlos. Ich hatte sie gefunden, aber wozu. Sie hatte kein einziges Wort gesprochen, vielleicht war es das Richtige gewesen. Es waren immer ihre Worte gewesen, vor denen ich Angst gehabt hatte. Andere Kinder hatten vielleicht Angst vor Schlägen oder Nachtisch-Entzug.

Meine Mutter hatte mich nie bestraft, sie war immer nur ernst gewesen, aber nicht auf dieselbe Weise wie andere Erwachsene. Nur wenn sie von Einstein gesprochen hatte, hatte sie geklungen wie ein Kind. Aber eigentlich war sie keines von beidem gewesen: weder ein Kind, mit dem ich spielen konnte, noch eine Erwachsene, die mich Kind sein ließ.

Stunden später wachte ich auf und sah als Erstes wieder die Flasche Gorbatschow. Es war schon wieder dunkel draußen und der Schnee war bis auf graue Häufchen am Straßenrand geschmolzen, als hätte es nie ein Schneegestöber gegeben.

Es war eingetreten. Ich hatte es mir spektakulärer vorgestellt. Ich hatte immer gedacht, ich würde weglaufen, als sei der Teufel hinter mir her, oder es würde mir wenigstens die Sprache verschlagen. Wenn man mit jemandem nicht spricht, kann man sich auch nicht auf ihn einlassen.

Ich wusste, wenn ich geduscht und gegessen hätte, würde ich wieder zum Sonnenhof gehen und eine Antwort verlangen. Die Fragen musste ich mir noch ausdenken.

Mit meinem Milchkaffee saß ich am Tisch und betrachtete die dunkle Welt hinter dem Fenster. Niemand klopfte an der Tür. Das Telefon klingelte nicht. Ich nahm den Hörer und wählte Barbaras Nummer.

»Hering?«

»Ist sie wieder da?«

»Patrick?«

»Ja.«

»Als wir die Morgenrunde gemacht haben, lag sie im Bett. Wir haben sie schlafen lassen, vielleicht schläft sie immer noch.«

»Ich weiß nicht, was ich tun soll«, sagte ich.

Dabei konnte ich nichts anderes tun, als gleich wieder zum Sonnenhof zu laufen.

»Hast du die ganze Nacht nach ihr gesucht?«

»Nein. Aber ich geh gleich zum Sonnenhof. Sie soll mir nur schnell meine Fragen beantworten, damit ich wieder meine eigenen Wege gehen kann, damit ich endlich alles abhaken kann.«

Ich wusste nicht, was meine eigenen Wege waren. Ich wusste auch nicht, ob man seine Kindheit abhaken konnte wie gelöste Mathematikaufgaben.

»Soll ich mitkommen?«, fragte Barbara.

Als Kind hatte mir mal jemand »Schlappschwanz« nachgerufen. Ich hatte mich nicht getraut über die Straße zu rennen, als gerade ein Auto angeschossen kam. Aber wie nannte man dann jemanden, der sich noch nicht einmal traut, seiner Mutter allein gegenüberzutreten? Und wieso dachte Barbara überhaupt, dass ich Angst vor meiner eigenen Mutter hätte?

»Nein, lieber nicht. Kommst du dann am ersten Weihnachtsfeiertag?«

Das war erst in einer Woche. Ich wollte mich aber in den nächsten Tagen nicht mit ihr treffen. Ich musste mich schon genug anderen Dingen stellen.

»Und in der Zwischenzeit?«, fragte sie.

An ihrem Tonfall hörte ich, dass sie mich davor gern noch einmal gesehen hätte.

»In der Zwischenzeit überlege ich mir, wie man eine Gans brät. Weihnachten um sieben?«

»Na gut«, antwortete sie.

Sie war immer noch nicht damit einverstanden, aber sie nahm es hin. Barbara hatte an diesem Tag also keinen Spätdienst. Sie konnte mir im Sonnenhof nicht über den Weg laufen und darüber war ich froh.

Ich wusste, dass sie sich für mich interessierte. Deswegen schämte ich mich vor ihr mehr als vor fremden Leuten.

Nachdem ich aufgelegt hatte, klingelte es sofort wieder. Bestand sie jetzt doch darauf mitzukommen?

Es war David.

»Hey, wann kochst du mal wieder was Schönes?«

»Am ersten Weihnachtsfeiertag, es gibt Gans. Kommst du? Barbara kommt auch.«

»Wieso nicht? Wir feiern nur Heiligabend zusammen. Äh, übrigens … ist Susie noch mit Tim zusammen?«

»Weiß nicht. Ich glaub schon.«

»Ach, ist ja auch nicht schlimm. Was machst du heute noch so?«

»Ich hab leider für die nächsten Tage schon was vor«, log ich. »Komm doch einfach Weihnachten vorbei. Weißt du, wo man eine Gans herbekommt?«

»Hm.«

Er schien angestrengt zu überlegen.

»Du kannst auf dem Markt eine bestellen. Das hat mal eine Tante von mir gemacht. Sie hatte eine Sechs-Kilo-Gans bestellt und die vom Markt hatten sich vertan und ihr nur eine sechs Pfund schwere Gans reserviert. Da hat sie einen Schock bekommen und gedacht, die Familie müsste bei so 'ner Mini-Gans zu Weihnachten hungern, und da hat sie aus Verzweiflung noch schnell zwei Enten dazugekauft. Soweit ich mich erinnern kann, hat das Geflügel für eine ganze Woche gereicht.«

Das Zimmer meiner Mutter war hell erleuchtet. Sie war wieder nicht im Raum. Ich ging zur Terrassentür, die auch jetzt nicht abgeschlossen war. Ich ging hinein und setzte mich an den Tisch. Anstelle des Aschenbechers stand dort eine lilafarbene Primel. Aluminiumfolie war um den Topf gewickelt. Das gab der Blume ein weihnachtliches Aussehen, obwohl ich bei Primeln immer an Frühling dachte.

Es war am Tag zuvor schon nicht unordentlich gewesen, aber an diesem Tag musste jemand richtig sauber gemacht haben. Das Bett war gemacht und neu bezogen. Im Regal standen die Dinge in Reih und Glied. Dort befand sich auch der Aschenbecher, diesmal aber leer und blank geputzt.

Ich hörte Geräusche im Flur und hatte schon Angst, von der dicken Frau gleich wieder genervt zu werden. Sie war die erste Frau, die mich »süß« genannt hatte. Aber sie nervte mich.

Ich konnte jetzt niemand anders ertragen außer meine Mutter. Das hatte sich in meinen Kopf festgesetzt und ich wollte es endlich hinter mich bringen.

Jemand steckte den Schlüssel ins Schloss und drehte ihn um. Die Tür ging auf. Gott sei Dank war es nicht die dicke Frau, sondern meine Mutter. In den vergangenen Jahren wäre ich lieber Godzilla begegnet als ihr. Und jetzt war ich so weit, sie schon lieber zu sehen als eine nervige Frau, die mich süß fand.

Sie blieb vor dem Tisch stehen, aber ich schaute nicht hoch. Ich sah nur auf das graue Zopfmuster ihres Strickpullovers. Kölnisch-Wasser-Duft drang in meine Nase.

In der Nacht zuvor war alles anders gewesen.

Vielleicht merkt man von dem inneren Sturm weniger, wenn es um einen herum wirklich stürmt, dachte ich. Und wenn es still ist, breitet sich der Sturm aus.

Sie nahm den Wasserkocher und ging wieder raus. Die Tür ließ sie offen. Ich hörte, wie sie im Flur eine andere Tür öffnete und Wasser floss.

Wieder im Zimmer stellte sie den Wasserkocher auf den Tisch. Dann stöpselte sie das Kabel in eine Verlängerungsschnur und stellte zwei weiße Becher und eine Packung Teebeutel auf den Tisch.

Das war noch viel absurder als das Bäumeverdreschen in der Sturmnacht zuvor, weil es so normal wirkte, während ich vor Aufregung zitterte.

Sie gab einen Teebeutel in jede Tasse, während der Wasserkocher blubberte. Ich sah ihr immer noch nicht ins Gesicht, nur auf die Hände. Eine Hand nahm den Kocher und goss Wasser in die Tassen. Die Hände waren sehnig. Hatte sie mich erwartet? Hielt sie mich für jemand anders? Ich musste die Gedanken an früher zurückdrängen.

Mir fiel immer noch nicht ein, was ich sagen sollte. Wenn zwei Leute längere Zeit schweigen, obwohl sie an einem

Tisch sitzen, dann kennen sie sich gut oder sie kennen sich gar nicht. Was bei uns der Fall war, wusste ich nicht. Sie stand wieder auf und holte einen weiteren Becher, als würde Vater gleich durch die Tür kommen. Sie setzte sich wieder, nahm die Beutel aus den zwei Bechern heraus. Niemand kam hinzu. In den dritten Becher legte sie die tropfenden Teebeutel. Dann schob sie mir einen Becher zu.

»Oder trinkst du lieber Kaffee?«

Früher hatte ich weder schwarzen Tee noch Kaffee getrunken. Jetzt trank ich beides und dafür keinen Kakao mehr. Dieser Satz von ihr klang so banal. Vielleicht würden wir gleich über das Wetter reden? Und nicht über die letzten vierzehn Jahre und die Zeit davor? Ich schloss meine Hände fest um den Becher und verbrannte mich.

»Ich trinke beides gerne«, antwortete ich.

Das Vorgeplänkel hatte angefangen. Sie wusste, wer ich war und um was es ging. Dass es nicht darum ging, was ich gerne trank. Ob Himbeersirup, Wodka oder Schierlingsbecher – ich hätte jetzt alles getrunken, ohne auf den Inhalt zu achten. Ich nahm meine Hände vom Tisch, ließ meine Arme sinken und umklammerte die hölzerne Sitzfläche des Stuhls. Dort war es nicht heiß. Ich schaute auf den Tee, den Dampf, der hochstieg. Ich wusste nicht, ob es schlimmer oder weniger schlimm war, als ich gedacht hatte.

Ich dachte an das Lasagne-Rezept, Schritt für Schritt, damit sich mein Kopf mit einfachen Gedanken füllte und kein Platz für andere Gedanken frei war. Erst die Zutaten: 8 Lasagne-Blätter, 400 g Hackfleisch … mir fiel plötzlich ein, dass ich auch mal wieder zocken konnte. Alles oder nichts. Entweder würde ich gehen oder ich würde ihr endlich alle möglichen Fragen stellen. Bloß – wovon sollte ich das abhängig machen? Sollte ich gehen, wenn die Dicke zufällig an die Tür klopfte oder wenn der Feueralarm irgendwo im Haus losging? Ich sah in die Tasse und wusste es: Wenn es Ceylon-Tee war, wollte ich bleiben und Fragen stellen, bei Assam-Tee gehen.

»Was für eine Sorte Tee ist das?«, fragte ich harmlos, immer noch auf den Becher starrend.

»Schwarzer Tee«, antwortete sie.

»Nein, ich meine Ceylon, Assam oder Earl Grey?«

Auf den Papierplättchen der Teebeutel stand nur »Gut und billig«.

Sie stand auf. Ich sah nach oben und stellte fest, dass die Packung Tee wieder auf dem Regal stand. Vor dem Regal angekommen, sagte sie: »Es ist eine Ceylon-Assam-Mischung.«

Ich hätte mir noch eine andere Bedingung ausdenken können, aber dann hätte ich mich selbst betrogen. Also blieb mir nichts anderes übrig, als das Ergebnis zu akzeptieren: halbe-halbe. Das hieß bleiben, einige Fragen stellen, nicht alle, und dann gehen.

Jetzt wünschte ich mir doch, Barbara wäre hier. Nur weil man miteinander verwandt ist, heißt das noch lange nicht, dass man gemeinsame Gesprächsthemen hat. Sollte ich ihr Vorwürfe machen? Sie verfluchen, dass sie ins Lenkrad gegriffen hatte? Die Gedanken, die ich jahrelang eingesperrt hatte, kamen wieder hoch. Ich presste meine Hände stärker gegen den Stuhl, meine Muskeln wurden hart. Dann fing ich an zu heulen.

Ich sah kurz hoch, aber sie schaute auf ihre Finger. Es war nicht mehr zum Aushalten, ich stand auf und ging hastig zur Terrassentür. Dann ging ich zurück zum Tisch, dann wieder zur Zimmertür, zur Terrassentür. Wie ein aufgeschrecktes Kaninchen im Käfig lief ich hin und her. Ich steckte meine Hände in die Hosentaschen und nahm sie wieder heraus. Ich wusste nicht wohin mit ihnen, wohin mit mir.

Sie fing an, sich mit den Fingern über das Gesicht und über die Haare zu gehen, als streiche sie sich unsichtbare Strähnen aus dem Gesicht. Diese Geste hatte ich schon früher an ihr gesehen, wenn sie nervös gewesen war. Ich ging immer schneller durch das Zimmer.

»Hör endlich auf!«, schrie sie auf einmal.

»Und Kinder müssen immer laut sein!«, brüllte ich zurück. Ich ging zur Tür und hämmerte mit meinen Fäusten dagegen. Jemand steckte einen Schlüssel ins Schloss und ich wich einen Schritt zurück.

Ein großer Mann trat ein und starrte mich an. Er sah zu meiner Mutter und dann wieder zu mir.

»Was ist hier los?«, fragte er.

Niemand antwortete.

»Frau Müller, Sie wissen doch: Besuch nur bis acht.«

Sie reagierte nicht, also wandte er sich an mich: »Sind Sie vom Forellenhof?«

Der Forellenhof war auch eine Klapse.

»Nein«, sagte ich.

»Sie können ja morgen wieder kommen«, sagte er sanft, als sei ich ein Kind.

»Nein.«

Seine Augenbrauen zuckten leicht, er kaute unentschlossen auf seiner Unterlippe, als fragte er sich, was er von mir halten sollte. Dann sah er wieder zu meiner Mutter.

»Lassen Sie ihn doch hier«, sagte sie, wieder ruhig geworden. »Vierzehn Jahre hab ich ihn nicht mehr gesprochen.« Er sah wieder zu mir rüber und musterte mich von oben bis unten. Dabei kniff er die Augen leicht zusammen, als könnte er dadurch schärfer sehen.

Ich sah ihn mir auch an. Er war recht groß und kräftig, vielleicht zwei Meter und hundert Kilo. Sein Holzfäller-hemd und die Locken ließen ihn wie einen Naturburschen aussehen. Ich schätzte ihn auf Anfang dreißig und versuchte auch zu schätzen, ob Barbara ihn attraktiv fand.

»Sie sind ja der Praktikant. Sie können hier bleiben«, sagte er dann, als wüsste er, worum es ging. Noch kurz zu meiner Mutter gewandt rief er: »Wenn was ist – ich bin oben.« Er ging wieder raus und ich lehnte mich mit dem Rücken an die Tür und verschränkte die Arme. Meine Mutter drehte sich nicht zu mir um. Sie starrte vor sich hin, als säße ich ihr immer noch gegenüber. Ich merkte, dass die paar Tränen schon längst verdampft waren. Was wollte ich eigentlich hier?

Was hatte es in den ganzen Jahren gebracht, meiner Mutter aus dem Weg zu gehen und nicht an sie zu denken? Wieso zieht einen gerade das magisch an, wovor man die meiste Angst hat?

Ich war in meine eigene Wohnung gezogen und hatte in diesem Jahr die letzte Tradition abgeschafft. Ich würde Weihnachten noch nicht einmal zu den Willmers gehen, auch die Schwester meiner Mutter nicht mehr sehen. Ich hatte gerade das allerletzte Band durchschnitten.

Ich ging zum Tisch und setzte mich wieder.

»Gehst du Weihnachten wieder zu den Willmers?«, fragte sie.

»Nein.«

Sie stand auf und zog eine Kiste unterm Bett hervor. Mit einem Päckchen, das in blaues Geschenkpapier eingehüllt war, kam sie zum Tisch zurück, setzte sich auf ihren Platz und schob das Päckchen neben meine Tasse.

»Dein Weihnachtsgeschenk.«

Woher hatte sie gewusst, dass ich kommen würde? Kaufte sie jedes Jahr auf gut Glück ein Geschenk für mich?

»Du kannst es schon aufmachen«, sagte sie vor sich hin.

»Wir sehen uns Weihnachten bestimmt nicht.«

»Ich will nichts haben.«

Kaum hatte ich es ausgesprochen, tat es mir schon wieder leid. Es ist beleidigend, ein Geschenk abzulehnen. Sie hatte noch nicht einmal Geld, um ihren Wodka zu bezahlen, kaufte mir aber etwas zu Weihnachten – wenn es gekauft war. Ich konnte immer noch nicht glauben, dass sie nun stahl.

Unter dem Sternchenpapier kam welliges Zeitungspapier zum Vorschein, darunter ein Fotoständer aus Metall. Ein Kleinkind hielt eine Pusteblume in der Hand. Das war ich nicht. Es war nur eins von den üblichen Bildern, die beim Kauf schon in den Fotorahmen sind.

Ich besaß keine Fotos. Nicht von früher und nicht von heute. Weder Familienfotos noch Exfreundinnenfotos. Es gab keine Ereignisse, die ich in Bildern festhalten wollte, um mich später daran zu erinnern.

»Danke«, sagte ich automatisch und sah ihr ins Gesicht. Sie lächelte.

»Was machst du Weihnachten?«, fragte ich genauso automatisch, wie ich »Danke« gesagt hatte.

»Hier gibt es immer eine Weihnachtsfeier.«

Sie machte also auch nichts. Sollte ich sie zum Gans-Essen einladen? Aber das Zusammentreffen wäre allen peinlich. Wenn man viele Leute trifft, trifft man niemanden richtig. Vielleicht gingen deswegen manche Leute nur in Grüppchen aus.

Sie lächelte: »Und außerdem besucht mich Einstein.«

»Was?«

»Ja, Einstein besucht mich.«

Ich erstarrte zur Salzsäule, aber sie sah mich nicht an, sondern lächelte vergnügt in sich hinein.

Die Bilder durchströmten mich. Wodkaflaschen, Bäume auf Feldern, wirre Haare, herausgestreckte Zungen, Epilierer.

Es war kein Witz, sie meinte es ernst. Sie hatte es noch nie verstanden, Witze zu machen.

»Du spinnst also immer noch«, sagte ich.

Hass stieg in mir hoch.

»Du verstehst davon nichts. Du bist halt immer noch ein Kind«, sagte sie.

Der Bilderrahmen funkelte vor meinen Augen und ich war drauf und dran, ihn gegen die Wand zu schmettern.

»Einstein kann nichts dafür. Der Baum hätte dort nicht stehen dürfen«, sagte sie.

»Du kannst was dafür«, schrie ich sie an. »Du mit deinem kranken Hirn! Wieso hat der Baum bloß Vater zerquetscht und nicht dich!«

»Sei nicht so laut.«

»Kinder müssen immer laut sein!«, schrie ich, als sei ich der Wahnsinnige von uns beiden.

Ich nahm diesen lächerlichen Fotorahmen in die Hand. Sollte ich etwa Einstein einrahmen und ihn mir auf den Tisch stellen? Oder die Willmers? Oder sie? Es gab niemanden … Barbara fiel mir ein und ich legte den Rahmen wieder auf den Tisch.

Es klopfte. Der Betreuer mit dem Holzfällerhemd war es schon wieder.

»Frau Müller, es war schon wieder laut. Ich bleibe lieber so lange hier.«

Er sah sich um, fand aber keinen freien Stuhl.

Dann sah er mich an, um meine Reaktion abzulesen. Ich nickte. Dieses Zusammentreffen sollte öffentlicher werden. Alle Leute benehmen sich in der Öffentlichkeit ruhiger, weil sie sich dann zusammenreißen. Es war zu anstrengend, mit meiner Mutter allein im Raum zu sein.

Er ging raus und ließ die Tür offen. Ich hörte, wie er durch die Glastür zum Gemeinschaftsraum ging. Mit einem Stuhl in der Hand kam er wieder. Er setzte sich aber nicht an den Tisch, sondern an die Wand.

»Ich bin übrigens Zander«, informierte er mich.

Ich dachte an Frank Zander und sein Ententanz-Lied.

Ich stellte mich nicht vor. Er konnte sich ja denken, wie ich hieß.

Meine Mutter schwieg und ich schwieg auch. Ich sah zu Zander hinüber, den Barbara »Bernhard« nannte. Bernhard Zander. Ich stellte mir einen Bernhardiner mit einem Fisch in der Schnauze vor. David sah aus wie ein Dackel. Vielleicht ähnelte jeder irgendeinem Hund?

Niemand sagte etwas. Ich wartete darauf, dass Zander etwas sagte. Weil er als Betreuer doch der Vernünftige sein musste. Er sollte den Moderator in dieser Diskussionsrunde spielen, aber er spielte nicht mit. Er heißt Zander, weil er stumm ist wie ein Fisch, dachte ich. War Zander ein Süßwasserfisch? Ein Raubfisch? Ich kam mir vor …

»Deshalb«, sagte meine Mutter.

Was meinte sie? Es schwammen immer noch Fische in meinem Kopf herum.

»Deshalb wolltest du nie mit mir sprechen«, fuhr sie anklagend fort und ich wusste immer noch nicht, worauf sie hinauswollte.

»Weil du mir die Schuld gibst.«

Sie schaute in ihren kalt gewordenen Tee. »Du gibst mir die Schuld«, wiederholte sie.

»Wer soll denn sonst daran schuld sein?«

»Der Baum.«

Wenn irgendjemand anderes das gesagt hätte, wäre mir vor Lachen der Bauch geplatzt. Aber *sie* hatte es gesagt und ich wusste, dass sie es ernst meinte.

»Und wer hat ins Lenkrad gegriffen? Der verdammte Baum oder was!«

Ich nahm den Fotorahmen und warf ihn gegen die Wand. Er zischte eine Handbreit an Zanders Ohr vorbei. Das Glas klirrte, flog aber nicht durch die Gegend, weil der Rahmen noch in Folie eingeschweißt war. Ich erwartete eine Standpauke oder einen Rauswurf. Zander saß aber nur stumm da, als hätte er nichts bemerkt.

Sind denn hier alle verrückt, fragte ich mich. Ich goss den Tee über den Tisch und warf den Becher an die Wand. Zander blieb weiterhin stumm. Er grinste nicht, schaute aber auch nicht missbilligend. Ich fragte mich, was in seinem Kopf vorging. Barbara hätte bestimmt etwas getan.

»Was meinen Sie? Sie greift ins Lenkrad und Vater fährt gegen den Baum. Wer ist schuld?«, wandte ich mich an ihn. Er rieb sich das Kinn und schien zu überlegen. Ich sah, dass die Hände meiner Mutter zitterten. Sie verschränkte sie in der Hoffnung, dass niemand es bemerkte.

»Das kommt drauf an«, sagte er.

»Worauf!«

Er rieb sich wieder sein Kinn.

»Auf die Gründe, warum man das getan hat. Auf die Absichten, ob es Vorsatz war.«

»Das ist doch alles Bullshit!«

Ich sprang auf, stieß die Terrassentür auf und rannte davon. Jeder normale Mensch hätte mir Recht gegeben. Aber diese Betreuer waren immer auf der Seite der Verrückten. Im Grunde waren das ihre Chefs. Ohne Verrückte gabs keine Arbeit. Deswegen musste man den Verrückten alles recht machen.

Barbara war auch eine von denen. Ich wollte sie nie wieder sehen. Jedenfalls nicht jetzt. Die Nächte schienen sich zu wiederholen. Ich lief immer nur durch die Gegend ohne ein Ziel, wo ich ankommen und mich ausruhen konnte.

Meine Mutter war mir noch fremder als in den letzten Jahren geworden. Wenn man jemanden lange nicht sieht, hofft man, er sei so geworden, wie man ihn gern hätte. Ich hatte mir vorgestellt, dass sie vor Reue zerfressen sei und dass sie Einstein aus ihren Gedanken verbannt hätte. Die Welt hatte jedoch ihren eigenen Kopf und nahm keine Rücksicht auf mich.

Zu Hause setzte ich mich an den Tisch und nahm einen Schluck aus der Wodkaflasche. Es schmeckte scheußlich! Ich holte mir eine Packung Orangensaft und mischte halbhalb. Ich trank jetzt also das gleiche Zeug wie meine Mutter. Aber ich hatte es schließlich auch bezahlt. Bei dem Gedanken musste ich lachen. Ich wählte Barbaras Nummer, aber es sprang nur der Anrufbeantworter an. Nachdem ich drei Gläser getrunken hatte, hörte ich auf dem Flur klackende Schritte. Barbara, dachte ich und öffnete die Tür. Es war aber nur Gretel, die zu ihrem Appartement ging. Sie drehte sich um, als ich aus meiner Tür hervorlugte. Mit ihren Zöpfen und den hohen Stiefeln sah sie richtig hübsch aus.

»Weißt du, dass Dackel David dich immer noch gern hat?«, lallte ich.

»Das ist sein Pech«, antwortete sie feindselig. »Aber dafür hat er jetzt ja einen feinen Saufkumpan gefunden.«

Sie schloss ihre Tür auf und verschwand.

Aus irgendeinem Grund wollte ich mich mit Gretel unterhalten.

Ich ging den Flur entlang. Das künstliche Licht kam mir greller vor als sonst. Die Tür war größer als sonst. Ich klopfte und musste nicht warten. Sie öffnete, als hätte sie jemand anderen erwartet.

»Was willst du?«, fragte sie schnippisch.

»Wieso bist du so unfreundlich?«

»Das fragst du noch? Schon vergessen? Du bist doch total durchgeknallt.«

»Das hatte alles seinen Grund.«

»So?«

Sie schaute zwar immer noch feindselig, aber auch neugierig.

Ich ging einen kleinen Schritt auf sie zu. Ihr Gesicht war nur noch eine Handbreit von mir entfernt. Ich hätte sie gern auf ihren kirschroten Schmollmund geküsst.

»Ich hasse Einstein«, sagte ich.

Gretels Augen wurden groß, ihr Kinn sank nach unten.

»Du bist doch der totale Spinner«, meckerte sie, schob mich zurück und warf die Tür zu.

Ich blieb noch einen Moment stehen und betrachtete den Lack auf der Tür. Er war vergilbt und blätterte an manchen Stellen ab.

Zurück in meinem Zimmer setzte ich mich wieder an den Tisch. Mein Gehirn wollte noch mehr benebelt werden, aber mein Magen rebellierte.

Das Gehirn ist der Präsident der Organe, sagte ich mir, alle anderen Organe müssen auf ihn hören. Aber niemand hörte auf den Präsidenten. Ich lief zur Toilette und kotzte. Danach rebellierten alle Organe gegen das Gehirn, ich konnte nicht mehr weitertrinken. Das ist Demokratie, dachte ich.

Ich schaltete den Fernseher ein, aber es gab nur Schießereien. Also schaltete ich wieder aus. Ich legte mich ins Bett und versuchte zu schlafen, aber alles drehte sich. Wodka ist ein Teufelszeug, sagte ich mir. Von Gin bekommt man einen viel schöneren Rausch. Ich stand wieder auf und kippte den Rest der Flasche ins Waschbecken. Das war das Einzige, was mir jetzt gut tat. Und etwas essen musste ich. In meinem Vorratsschrank fand ich eine Packung Walnüsse. Weil ich den Nussknacker nicht fand, legte ich eine Nuss nach der anderen auf den Boden und schlug mit meiner Bratpfanne drauf. Betrunkene hören nicht mehr gut, aber die Nachbarin unter mir hatte wohl nichts getrunken. Sie schlug gegen die Decke und auch der Nachbar rechts neben mir schlug gegen die Wand. Ich schob mir die letzte Walnusshälfte in den Mund und gab Ruhe. Die zerbrochenen Schalen auf dem Boden sahen aus wie entzweite Schädel. So fühlte ich mich auch. Einerseits spürte ich den

Wodka, andererseits konnte ich noch klar denken, wofür ich in diesem Augenblick nicht dankbar war.

Man trinkt Alkohol nie wegen des Geschmacks, sagte ich mir. Traubensaft schmeckt besser als Wein, ein Banane-Kirsch-Saft besser als Wodka-Orange. Cola mit Zitrone besser als Cola mit Rum. Und Tonic Water ohne Gin schmeckte bestimmt auch besser. Ich wollte es gleich am nächsten Tag ausprobieren.

Ich träumte in der Nacht, als hätte ich Fieber. Es war nur wirres Zeug von Schneebergen und Almhütten. Dräääng! Ich wunderte mich, dass die Klingel in der Almhütte sich genauso anhörte wie die vom Wohnheim. Sollte ich aufmachen? Und wenn es jetzt der Yeti war? Als ich die Augen öffnete, war es hell. Die Uhr zeigte 12 Uhr 32. Ich hoffte, dass das Klingeln von allein verstummen würde. Zu dieser Zeit kamen nur die Zeugen Jehovas.

Das Klingeln hörte nicht auf. Ich zog mir meinen Bademantel über. Es gab nur einen, der so penetrant war: David. Oder vielleicht Barbara? Der Apfel fällt nicht weit vom Stamm. Ich drückte auf den Summer und ging ins Bad. Irgendwann klingelte es an der Tür. Ich spritzte mir noch mal Wasser ins Gesicht und wollte David zum Tee einladen. Aber er war es nicht. Sie wars. Meine Mutter. Meine Mutter stand vor meiner Wohnung. Das passte nicht zusammen.

In meinen Gedanken war sie untrennbar mit dem Sonnenhof verbunden. Genauso wie Professoren nur in die Uni gehören oder Ärzte in Praxen, gehörte meine Mutter nach Bethel. Und ich hatte die Wahl gehabt, dorthin zu gehen oder nicht. Jedenfalls bis jetzt. Jetzt war ich nirgendwo mehr sicher vor ihr. Einen Augenblick überlegte ich, ob ich sie überhaupt hereinbitten sollte. Aber es hätte mir auch nichts genutzt, wenn sie wieder gegangen wäre. Ich wusste, nun musste ich immer Angst vor einem Klingeln haben.

»Was machst du hier?«, fragte ich.

Sie stand einen Meter vor mir. Ich sah ihr direkt ins Gesicht. Ihre Augen waren grau, obwohl ich immer gedacht hatte, sie wären braun. Auf ihrer Stirn waren drei tiefe Falten eingegraben, die sich kummervoll zusammenzogen. Sie trug die karamellfarbene Jacke von neulich, die sie oberhalb der Beine aufgeplustert wirken ließ. Der Hals war das Faltigste an ihr. Die schlaffe Haut dort erinnerte mich an einen Truthahn. Der Hals vibrierte. Die Hände waren in den Jackentaschen, aber die Finger bewegten sich darin. An manchen Stellen spannte sich der Stoff und sank wieder ein. Ich trat immer noch nicht zur Seite. Wie ein Wächter versperrte ich den Eingang. Meine Mutter in meiner Wohnung, ich konnte es mir immer noch nicht vorstellen.

»Lässt du mich herein?«

Ich nickte und trat zur Seite.

Nach zwei Schritten blieb sie stehen und sah sich um. An ihrem Gesicht konnte ich nicht erkennen, ob ihr mein Appartement gefiel oder nicht. Ich fragte mich, ob ich ihr einen Tee anbieten sollte, aber dann fiel mir die Schweinerei ein, die ich in ihrem Zimmer angerichtet hatte. Vielleicht hatte sie vor, nun dasselbe in meinem Zimmer zu veranstalten.

Sie ging dann zügig an den Tisch, als wäre das schon immer ihr Ziel gewesen. Wie selbstverständlich zog sie sich die Jacke aus und hängte sie über den Stuhl. So, wie sie da saß, fühlte ich mich wie ein Kellner, der zum Tisch gehen und fragen musste: »Madame, was darfs denn sein?«

Meine Mutter saß an dem Tisch, an dem ich jahrelang versucht hatte, nicht an sie zu denken. An dem ich Aufläufe und Spaghetti gegessen hatte. Wie viele Stunden hatte ich nur da gesessen und aus dem Fenster geschaut? Jetzt schaute sie aus dem Fenster.

»Hast du bis jetzt geschlafen?«, fragte sie mit monotoner Stimme und schaute dabei ihr Spiegelbild in der Fensterscheibe an, als sei ich das.

»Nein«, log ich. Ich fragte mich, wie lange *sie* geschlafen hatte. Von Barbara hatte ich erfahren, dass sie nachts wach war und den Tag verschlief. Aber es war erst zwölf.

Ich ging zur Kochnische und setzte Wasser auf. Die Kekse blieben im Schrank. Ich bekam nichts hinunter und sie hatte noch nie Süßes gemocht.

Sie wirkte ruhig. Das Geschirr würde heil bleiben. Und wenn nicht – auch egal. Ich blieb vor der Spüle stehen, während ihr Blick nun auf den kaputten Walnussschalen ruhte.

Es klopfte. Mir fiel ein Stein vom Herzen und ich öffnete sofort. Vor mir stand Tim. Hatte Gretel ihm von vergangener Nacht erzählt?

Er lächelte.

»Kannst du mir Zucker leihen? Ich wollte gerade einen Pudding machen.«

Nimm doch deine Gretel. Die ist doch süß genug, dachte ich.

»Tut mir leid. Ist mir gestern ausgegangen«, sagte ich. Natürlich hatte ich noch eine volle Packung im Schrank.

»Na, macht nichts. Dann horche ich mal weiter rum.«

Ich drückte die Tür wieder zu.

»Ich will dich nicht stören. Dein Freund soll ruhig reinkommen.«

»Das ist nicht mein Freund. Ich hab keine wirklichen
Freunde«, sagte ich und schaute sie an, als sei sie daran
schuld.

Sie senkte ihren Blick und schaute auf ihre Hände.

Ich fragte mich, ob es zuvor nicht schöner gewesen war.
Als ich noch nicht zum Sonnenhof gegangen war und
schon mit allem abgeschlossen hatte. Mit ihr, mit den Willmers, mit der Schröttinghauser Straße.

»Magst du Barbara Hering?«, fragte ich.

Sie schaute groß.

»Du kennst Frau Hering?«

»Kennen ist zu viel gesagt.«

»Sie ist immer nett und ruhig«, sagte sie.

Der Wasserkocher war schon ausgegangen. Das Wasser
kühlte ab. Ich war jetzt schon im Gespräch drin und wollte
es nicht wieder verebben lassen.

»Klaust du immer noch Wodka?«

Sie versuchte unbeteiligt auszusehen und sagte: »Du redest
wie ein Kind.«

Es klang herablassend wie früher. Sie hatte schon immer
Dinge gesagt, einfach so, ohne zu ahnen, wie andere sich
dabei fühlten. Als seien die Menschen um sie herum Pup-
pen, die alles über sich ergehen lassen.

Als ich sie von weitem beobachtet hatte, wie in einem
Stummfilm, hatte sie mir besser gefallen.

»Und du bist nicht meine Mutter. Ich hatte immer nur einen
Vater, aber keine Mutter.«

Ich schaute sie genau an, aber sie reagierte nicht, schluck-
te nicht, strich sich keine Haare aus dem Gesicht, bewegte

keinen einzigen Finger. Sie sah vor sich hin, als sei sie blind. Langsam stand sie auf, zog ihre Jacke vom Stuhl und ging zur Tür hinaus.

Sie war weg und sie würde nie wiederkommen. Das Problem war gelöst.

Ich ging duschen. Unter den Wasserstrahlen malte ich mir aus, wie ich mein Leben nun weiterführen wollte. Ich hatte den Schutt der Vergangenheit weggekehrt. Als ich mich mit Milchkaffee und Toast an den Tisch setzte, roch ich wieder den Duft von Kölnisch Wasser. Ich öffnete das Fenster, aber er hatte sich schon im ganzen Raum festgesetzt.

Am nächsten Tag ging ich frühmorgens zum Markt am Kesselbrink und ließ mir eine Fünf-Kilo-Gans reservieren. Im Sommer wirken Märkte immer südländisch, im Winter aber komischerweise osteuropäisch. Die Marktleute standen eingemummt mit Mützen und Handschuhen hinter den Ständen und sahen aus wie pummelige Teddybären. Trotz der Kälte gab es Tomaten, Auberginen, sogar Erdbeeren. Aber ich kaufte nichts. Mir war der Appetit vergangen. Einen Tag vor Heiligabend würde ich richtig einkaufen gehen, um Weihnachten über die Runden zu kommen.

Ich schlenderte noch lange durch die Stadt und fand nichts Richtiges für Tomate, David oder Barbara. Schließlich ging ich zu *Douglas* und wunderte mich über die Massen an verschiedenen Parfüms. Schwere Duftwolken hüllten mich ein, aber Gott sei Dank war keine Spur von Kölnisch Wasser dabei. Ich roch an manchen Fläschchen, entschied mich dann für das Parfüm von Jennifer Lopez und ließ es schön einpacken.

Zu Hause wurde mir klar, dass es nicht das Richtige für Barbara war. Ich lief nach unten und schob das Päckchen in Gretels Briefkasten. Als ich wieder oben war, blinkte der Anrufbeantworter. »Hallo Patrick. Hier ist Barbara. Bitte ruf mich zurück, wenn du wieder da bist.«

Vielleicht wollte sie mich unbedingt sehen? Ich fühlte mich geschmeichelt. Oder besaß sie doch telepathische Kräfte und wusste, dass ich Gretel gerade Parfüm geschenkt hatte? Was würde sie dazu sagen? Ob sie eifersüchtig war?

»Hier ist Patrick. Du hast gerade angerufen?«

»Ja, es geht um deine Mutter«, sagte sie trocken.

»Und?«

»Sie steht nicht auf und will nichts essen. Bernhard sagt, dass du vor drei Tagen da gewesen bist. Hast du sie danach noch mal gesehen?«

»Sie war gestern hier.«

»Was? Bei dir?«

»Ich hab sie verscheucht.«

»Was hast du getan?« Ihre Stimme klang entsetzt.

»Was geht dich das an?«, motzte ich.

Sie antwortete nicht auf meine Frage. Eine merkwürdige Stille lag in der Leitung und ich fragte mich gerade, ob sie noch dran war, als sie sagte: »Ruf wenigstens im Sonnenhof an. Deine Mutter leidet schon genug.«

»Leiden? Worunter?«

»Sie gibt sich die Schuld an dem Unfall und ...«

»Und das ist falsch? Außerdem behauptet sie, der Baum sei schuld.«

»... und sie kann sich nicht damit abfinden, dass du seit Jahren den Kontakt verweigerst – bis vor kurzem jedenfalls.«

»Das hat sie dir erzählt?«, fragte ich ungläubig.

Für meine Mutter klang das zu geschwätzig.

»Deine Mutter ist nicht so verrückt wie die anderen. Man kann gut mit ihr auskommen.«

»Ach, und im Sonnenhof lebt sie nur zum Spaß«, sagte ich sarkastisch.

»Wir hatten vor, sie demnächst woanders unterzubringen, in einem Haus für betreutes Wohnen. Aber zur Zeit müssen wir mal abwarten.«

»Ist das ein Witz?«

Meine Mutter sollte aus der Irrenanstalt rauskommen? Ich hatte gedacht, dass sie für immer im Sonnenhof bleiben würde. Sie würde also dieses nach Urin und kaltem Rauch stinkende Haus verlassen und eine eigene Wohnung haben? Ich sprang auf und lief mit dem Telefon quer durch den Raum.

»Wieso soll ich darüber Witze machen?«

»Sie kann alleine wohnen? Und wenn sie wieder so einen Blödsinn macht? Warum hast du mir das nicht früher erzählt?«

»Was hätte das geändert?«

»Viel!«

»Ruf doch mal im Sonnenhof an und sprich mit ihr.«

»Kommst du am ersten Weihnachtsfeiertag?«, fragte ich.

»Ich hab heute die Gans bestellt.«

»Natürlich komm ich.«

»David kommt auch. Hast du ein Lieblingsparfüm?«

»Wieso fragst du?«

»Ist nicht wichtig.«

Sie stellten mich durch. Dabei hatte ich kein Telefon in ihrem Zimmer bemerkt.

»Gesine Müller?«

Ich hatte über die Jahre ihren Vornamen vergessen. Es gab Kinder, die ihre Eltern nicht mit Mama oder Papa ansprachen, sondern mit »Andrea« oder »Klaus«. Ich überlegte kurz, ob ich »Gesine« zu ihr sagen sollte, sie nannte mich schließlich auch »Patrick« und nicht »mein Sohn«. Aber ich verwarf diese Idee schnell wieder. »Gesine« hörte sich an wie eine dicke Frau mit Hornbrille, die lustig durchs Leben geht und mit jedem gut Freund ist.

»Hallo?«, fragte sie nach.

»Hier ist Patrick.«

»Ich bin immer noch deine Mutter«, sagte sie. Ihre Stimme klang jetzt genauso wie früher.

Ich hatte gedacht, es wäre leichter, sie nur zu beobachten und sie nicht sprechen zu hören. Jetzt war ich froh, sie nicht zu sehen und den Kontakt auf einen Hörer zu begrenzen.

»Ich rufe an, weil du nichts essen willst.«

»Woher weißt du das?«

»Ist doch egal. Ich weiß es halt.«

»Interessiert dich das, ob ich esse?«

Das musste ich mich erst mal selbst fragen. Ich wollte weder bejahen noch verneinen. Sie war nun wirklich mager genug – außer sie steckte in ihrer Daunenjacke.

»Sag einfach, wieso du nichts isst.«

Sie wird jetzt sagen, weil ich ihr Kummer bereitet habe, dachte ich. Sie wird mir von dem knorrigen Baum vorjammern, der an der falschen Stelle steht.

»Das Essen ist einfach schlecht hier«, antwortete sie barsch.

Ich konnte mir nicht vorstellen, dass es schlechter als das Mensa-Essen war, von dem ich oft sogar noch einen Nachschlag nahm.

»Wenn es mir nicht gut geht, esse ich viel. Und wenn es

mir wirklich schlecht geht, dann esse ich nichts«, sagte ich, um ihr einen Strohhalm zu reichen.

Dünn war sie schon immer gewesen. Ob Mutter früher schon wenig gegessen hatte oder ob es in ihrer Natur lag, dünn zu sein, egal was sie aß, das wusste ich nicht mehr. Vater hatte mächtig viel gegessen. Er liebte Süßes und war wie David immer für ein gutes Essen zu begeistern gewesen. Gutes Essen hatte es bei uns nur nicht oft gegeben, weil meine Mutter das Kochen hasste. Sie hasste es, den Garten zu pflegen, das Haus sauber zu halten, mich zu hüten. Ich hatte das nie verstanden. Vater hätte doch unzufriedener als sie sein müssen. Er musste früh aus dem Haus und den ganzen Tag arbeiten gehen. Als ich ihr das einmal gesagt hatte, fuhr sie mich an: »Und ich arbeite wohl nicht? Ich arbeite auch – nur nichts Vernünftiges!«

»Heute gab es Rindersteak«, sagte sie. »Seit dem Rinderwahnsinn esse ich aber kein Rind mehr. Und als vegetarisches Gericht gab es Milchreis, und du weißt, ich mag keine Milch.«

Du kannst ruhig Rind essen, dachte ich gehässig, du bist doch schon …

»Ich weiß, was du denkst«, hörte ich sie streng sagen.

Den Hörer weiter ans Ohr gepresst, steckte ich meine Schlüssel ein, ging durchs Treppenhaus und zur Tür raus. Der Empfang wurde etwas schlechter. Ab und zu hörte ich ein Knistern. Das störte mich nicht. Sie sagte nichts und ich auch nicht. Wenn man am Telefon schweigt, ist das komischer, als wenn man sich gegenübersitzt und schweigt. Draußen fühlte ich mich besser. Die Kälte hüllte mich ein. Sie drang wie durch tausend Spritzen in mich ein und ich fühlte mich betäubt.

»Man lebt, um zu essen«, stand in dem asiatischen Koch-buch von Barbara.

»Hast du Hunger?«, fragte ich und dachte an die ausge-mergelte Gestalt, ausgezehrt von Nikotin und Alkohol.

»Willst du mich etwa zum Essen einladen?«, kam es iro-nisch zurück.

»Ich hab nichts im Haus«, sagte ich. »Aber ich komm jetzt vorbei.«

Sie antwortete nicht und ich legte auf. In meiner Wohnung kramte ich die verschiedenen Speisekarten der Pizzataxis heraus.

Sie lag nicht mehr im Bett, sondern stand mitten im Raum, als ich ankam. Ich klopfte an die Terrassentür, die mir schon langsam wie ein normaler Hauseingang vorkam. Sie zuckte nicht zusammen, sondern schaute durch die Glastür, als hätte sie mich schon längst erwartet. In ihrem langen Nachtgewand mit den offenen Haaren sah sie aus wie ein Gespenst. Sie öffnete die Tür und ich roch abge-standene Luft in ihrem Zimmer.

»Ich lass die Tür kurz offen«, sagte ich zur Begrüßung.

Sie nickte und ging aus dem Zimmer.

Als sie wiederkam, wirkte sie etwas frischer. Sie trug Jeans und einen geblümten Pullover.

»Ich will nichts essen«, sagte sie. »Ich will Klarheit.«

»Worüber?«

»Ob du dich abwenden willst. Oder es noch mal mit mir versuchen.«

So eine Frage hatte ich nicht erwartet. Ich hatte gedacht,

sie schaut sich die Speisekarten an, bestellt sich eine Pizza und das wars.

»Du hattest vierzehn Jahre Zeit, darüber nachzudenken«, fuhr sie fort.

In den vierzehn Jahren hatte ich aber nicht nachgedacht. Ich hatte keine Entscheidung treffen müssen. Vater war tot und meine Mutter gab es nicht mehr. Es hatte nur Mühe gemacht, sie zu vergessen.

»Ich brauche eine Entscheidung«, sagte sie. »Ich kann nicht immer in Ungewissheit leben. Du willst mich wieder in dein Leben lassen? Gut. Du willst mich nie wiedersehen? Dann muss ich damit leben.«

Sie konnte damit leben, mich nie wiederzusehen? Etwas in mir fühlte sich gekränkt.

»Ich brauche dich nicht als Betreuer«, redete sie weiter.

Ich fragte mich, wozu sie mich sonst brauchte.

»Und ich brauche was zu essen«, sagte ich, weil ich mich um eine Antwort drücken wollte.

Ich blätterte in den Speisekarten und fand ein Pizzataxi in Bethel. Es hatte also doch Sinn, die ganze Werbung zu sammeln. Ich wusste nicht, ob es früher schon Pizzataxis gegeben hatte. Und ich fragte mich dummerweise, wieso Mutter nie Tiefkühlpizzen gelagert hatte, wenn ihr das Kochen immer eine Last gewesen war. Mochte sie keine?

Die Sauerei, die ich vor einigen Tagen angerichtet hatte, war beseitigt. Nur an einer Stelle der Wand blätterte etwas Farbe ab. Kalte Luft strömte mir in den Rücken und jetzt bemerkte ich, dass die Luft im Zimmer frisch und nicht mehr abgestanden war. Ich stand auf und schloss die Tür.

»Wir haben uns alle verändert«, sagte sie.

»Ja«, sagte ich. »Du trinkst jetzt, rauchst und klaust.«

Ich wartete auf ihre beleidigte Miene, aber sie lachte. Früher hatte sie nie gelacht. Wollte sie mir zeigen, dass sie wirklich anders geworden war? Ich wusste mit ihrem Lachen nichts anzufangen. Bei manchen Leuten schien das Lachen noch verzweifelter als Weinen. Aber ich wusste nicht, aus welcher Schublade das Lachen meiner Mutter kam.

»Du brauchst Tapetenwechsel«, sagte ich. »Lass uns ins *Inferno* gehen.«

»Ich hab kein Geld mehr.«

»Ich aber«, sagte ich.

Sie zog sich ihre aufgeplusterte Jacke an, schlüpfte in ihre Schuhe und kam mit.

Drinnen war es heiß. Mutter schaute sich ängstlich um, als sei sie das erste Mal in einem Restaurant.

Vielleicht war es wirklich ihr erstes Mal. Wer kein Geld für Wodka hat, hat erst recht keins, um essen zu gehen. Ich suchte mit meinen Blicken nach einem Aquarium, fand aber keins. Goldfische gab es wohl nur bei Asiaten. Das Restaurant war zur Hälfte gefüllt. Ich entdeckte einen freien Tisch in der hintersten Ecke und ging darauf zu.

Zum Abschied sagte sie etwas, das gar nicht zu ihr passte: »Das war seit Jahren der schönste Tag für mich.«

Ich nickte ihr zu und schwang mich wieder aufs Fahrrad. Unterwegs schwirrten alle möglichen Gedanken durch meinen Kopf. Als ich plötzlich vor dem Wohnheim stand und mich nicht mehr daran erinnern konnte, wie ich hierher gekommen war, dachte ich, na und, der Weg ist nicht das

Ziel. Wenn man sich nicht an den Weg erinnern kann –
umso besser.

Im Bett wälzte ich mich von der einen auf die andere Seite.
Alles hatte sich in den letzten Tagen verändert. Zum ersten
Mal hatte eine Frau mir offen gesagt, dass sie mich nicht
abweist. Und Mutter hatte an diesem Abend zum ersten
Mal vernünftig mit mir gesprochen, nicht so, als sei ich ein
dummes Kind. Sie hatte mir von ihrem Leben im Sonnenhof erzählt, von den komischen Käuzen dort. Von dem
schlechten Essen. Sie hatte nicht gesagt, dass der Unfall ihr
leid tat. Aber sie hatte angedeutet, mit Alkohol nur die
Gedanken an mich und Vater vertreiben zu wollen. Vater
war ihr immer lästig gewesen, erst als er nicht mehr da war,
hatte sie ihre Gefühle für ihn entdeckt.

Sie hatte früher mir die Schuld an ihrem abgebrochenen
Physikstudium gegeben. Sie hatte gute Zensuren gehabt,
bevor sie schwanger wurde und zu Hause blieb.

Der Sonnenhof sei wie ein Gefängnis, man sitze im Zimmer und habe viel Zeit zum Nachdenken. Dort sei sie
zu dem Schluss gekommen, dass sie ihr Studium schließlich auch nicht wieder aufgenommen hatte, als ich schon
längst zur Schule ging. Es hätte ihr einfach der Antrieb
gefehlt. Also sei sie selbst schuld und nicht ich.

Als ich ein Kind gewesen war, hatte sie immer nur wenig
gesprochen, aber an diesem Abend – zwischen den Bissen
ihrer Mozzarella-Pizza – kam aus ihr ein Redeschwall heraus, als sei ein Staudamm geplatzt.

Ich hatte fast wortlos meine »Vier Jahreszeiten« gegessen
und dabei überhaupt nichts von dem Essen mitbekommen.
Erst an meinem leeren Teller hatte ich gemerkt, dass ich
gegessen hatte.

Mutter hatte es geschmeckt. Sie sagte, sie hätte noch nie Pizza gegessen, und wirkte dabei wie aus der Steinzeit. Es war nicht alles anders gewesen. Sie hatte sich hin und wieder aufgeregt Strähnen aus dem Gesicht gestrichen oder war zwischen ihren vernünftigen Aussagen plötzlich entmutigt und kraftlos in sich zusammengesunken. Einige Male hatte sie wieder von Einstein gefaselt, ich hatte jedoch nicht darauf reagiert und das war vielleicht das Beste gewesen.

An Heiligabend kaufte ich wie für eine Großfamilie ein und holte mir die Gans ab. Ich musste zwei Fächer aus dem Kühlschrank nehmen, damit sie überhaupt reinpasste. Weil sie bei dem Gewicht fünf Stunden schmoren musste, änderte ich meinen Plan: Ich lud Barbara und David schon für mittags ein, damit wir zusammen die Beilagen zubereiten konnten, während die Gans im Ofen brutzelte.

Am Abend saß ich alleine an meinem Tisch, mit einer Lachs-Quiche vor mir, als sei ich die alte Frau in *Dinner for one* mit einem Dinner, aber ohne Butler und Bärenkopf. Ich hatte mich diesmal auf die andere Seite des Tisches gesetzt und betrachtete die Geschenke auf meinem Bett. Ich hatte sie am Nachmittag eingepackt und wie ein Stillleben auf der bunten Decke angeordnet. Für David hatte ich eine große Packung Kekse und ein Backbuch gekauft, für Barbara einen Schal. Ein Parfüm, das »Audrey Hepburn« hieß, hatte ich nicht gefunden. Tomates Buch hatte ich schon in der Buchhandlung einpacken lassen. Es war ein Beziehungsratgeber und nicht nur als Spaßgeschenk gemeint. Daneben lag ein rechteckiges Päckchen. Es war ein Wohnungsratgeber, für den Fall, dass Mutter wirklich mal vom Sonnenhof wegkam. Es war das erste richtige Geschenk, das ich ihr machen würde. Als Kind hatte ich ihr Bilder gemalt und einmal Figuren aus Salzteig geformt. Mutter hatte immer für fünf Sekunden freudig getan, aber meine Bilder waren nicht an der Wand gelandet, sondern in einer Mappe, und die Figuren hatte sie im Wohnzimmer auf die Fensterbank gestellt, wo sie von den Gardinen verdeckt wurden. Von außen störten sie auch nicht. Sie waren nicht hoch genug, um über den Fensterrahmen hinauszuragen.

Ich wusste nicht, wann ich Mutter das nächste Mal sehen würde. Wir hatten uns nicht verabredet und ich wusste immer noch nicht, ob ich sie überhaupt wiedersehen wollte.

Tomate rief aus Paris an und wünschte mir ein frohes Weihnachtsfest. Die Stadt sei so schön, ich müsste auch mal hin. Er erzählte von den kleinen Gassen im Künstlerviertel, von den Besuchen in den Museen. Silvester ginge es dann rauf auf den Eiffelturm. In Bielefeld gingen die Leute immer auf die Sparrenburg. Dabei konnte man das Feuerwerk auch von unten sehen.

Zum Nachtisch holte ich mein Tiramisu aus dem Kühlschrank und machte einen Espresso. Enya klang beruhigend aus den Boxen und auch die Kerzenflammen flackerten an diesem Abend nicht.

Ich griff zum Telefon und rief Mutter an. Zander hatte wieder Nachtdienst. Er leitete mich weiter.

Mutter erzählte, dass es am Mittag bei ihnen auch Lachs gegeben habe. Ich wollte wissen, ob ihre Schwester Anne angerufen hatte. Sie rief immer Heiligabend bei Mutter an. »Ja«, antwortete sie verstimmt.

»Wieso magst du deine Schwester eigentlich nicht?«, fragte ich.

»Das ist halt so, wenn man sich als Kind das Zimmer teilen muss. Man geht sich gegenseitig auf die Nerven.«

Das war Bullshit. Ihre Stimme klang ausweichend. Als Erwachsene mussten sie sich das Zimmer nicht mehr teilen. Sie hatten jahrelang am entgegengesetzten Ende der Stadt gewohnt.

»Du hältst mich wohl immer noch für dumm?«, fragte ich.

»Gut. Du bist jetzt erwachsen.«

Ich nickte, obwohl sie das nicht sehen konnte.

»Sie ist mit deinem Vater fremdgegangen, als ich schwanger war«, sagte sie kurz.

Das ist noch ein größerer Blödsinn als das Zimmerteilen, dachte ich mir und legte auf.

Ich wählte die Nummer von der Schwester meiner Mutter.

»Willmer?«, meldete sie sich.

»Hier ist Patrick.«

»Oh, ich dachte, du bist in Paris.«

»Bin ich auch«, log ich, mein Gesicht wurde wieder heiß.

»Einen schönen Heiligabend«, sagte sie.

Frag sie, dachte ich, frag sie endlich. Aber ich bekam nur ein »Gleichfalls« raus und legte sofort auf.

Die CD war zu Ende. Es sind bestimmt alle Waschmaschinen frei, dachte ich, um an etwas anderes zu denken. Ich nahm den vollen Wäschekorb mit und ging los. Vielleicht war Tims Wäsche im Trockner. Auf der Treppe kam mir Gretel entgegen. Es war komisch, dass ich ihr ständig im Treppenhaus begegnete. Noch komischer war, dass sie mich freundlich grüßte.

Vielleicht weil Heiligabend ist, dachte ich und roch ihre

Jennifer-Lopez-Duftwolke. Der Duft passte nicht zu ihr. Na und, dachte ich dann, wenns ihr gefällt.

Ich fragte mich, wieso sie Heiligabend überhaupt hier war. In letzter Zeit hatte ich sie auch gar nicht mehr zusammen mit Tim gesehn. Hatte er Schluss gemacht? Oder sie mit ihm? Eigentlich war sie doch keine Hexe.

Am nächsten Tag kamen Barbara und David. Die Gans schmorte schon und manchmal schauten wir mit großen Augen in den Ofen wie Kinder in das Schaufenster eines Süßwarenladens. Ich war froh, dass die beiden keine Vegetarier waren, sonst hätte ich eine Gans aus Tofu basteln müssen.

»Ich hab Gretel gestern im Treppenhaus gesehen«, sagte ich während des Kartoffelputzens. »Vielleicht ist sie gar nicht mehr mit Tim zusammen.«

David schnitt sich fast in den Finger anstatt in den Rotkohl.

»Das kann nicht sein. Ich hab sie vorgestern angerufen.«

»Und was sagt sie?«

Auch Barbara schaute gespannt auf, schnitt dabei aber vernünftigerweise nicht weiter.

»Dass sie mit Tim zusammenziehen wird.« Er seufzte. »Aber Susie und ich bleiben trotzdem Freunde.«

Ich fragte mich, was er sich darunter vorstellte. Sie war so irritierend mit ihren Stiefeln und ihrem kirschroten Schmollmund. Barbaras Anwesenheit versetzte mich nicht in Aufregung. Ich schien mich an alles zu gewöhnen. Sie schnitt den Rotkohl, als sei sie ein Meisterkoch, während David schnippelte wie ein Kindergartenkind.

Als alles noch in den Töpfen schmorte, bekamen wir Hunger und teilten die restliche Quiche unter uns auf. Ich öffnete den Rotwein und wir stießen an. Anschließend ging David zu Gretel, angeblich nur, um ihr ein schönes Fest zu wünschen.

Barbara hatte sich aufs Bett gesetzt und machte Pause. Ich setzte mich neben sie. Im Raum roch es nach Bauernküche. Der Rotkohlgeruch vermischte sich mit dem Duft des Gänsebratens.

Dieses Jahr Weihnachten ist es viel schöner als die letzten Jahre, dachte ich. Zu den Willmers war ich Weihnachten noch nie gern gegangen. Nur David kam geknickt wieder und sagte, Gretel sei nicht da.

Die Gans war eine Wucht. Sie sah aus wie in den Comics. Zwar schmeckte sie nicht ganz so gut wie die Ente aus dem *Peking*, aber die Maronenfüllung war saftig.

Nach dem Geschenketausch leerten wir noch zwei Flaschen Wein. David und Barbara nahmen dann die letzte Straßenbahn.

Ich saß noch lange am Fenster, die Kerzen brannten. Eigentlich hätte Barbara auch hier schlafen können, aber sie hatte nicht gefragt und es war richtig, jetzt allein zu sein. Nur wenn man allein ist, erinnert man sich an schöne Augenblicke.

Meine Eltern hatten zu Weihnachten überall Lichterketten aufgehängt. Auch im Flur. Mutter hatte sich nachmittags nicht hingelegt und alle Türen standen auf. Ich lief in Vorfreude hin und her, von einem Zimmer ins andere, immer durch den beleuchteten Flur.

Wilhelm Genazino im dtv

»So entschlossen unentschlossen, so gezielt absichtslos,
so dauerhaft dem Provisorischen zugeneigt, so hartnäckig dem
Beiläufigen verbunden wie Wilhelm Genazino ist
kein anderer deutscher Autor.«
Hubert Spiegel in der ›Frankfurter Allgemeinen Zeitung‹

Abschaffel
Roman-Trilogie

ISBN 978-3-423-**13028**-8

Abschaffel, Flaneur und
»Workaholic des Nichtstuns«,
streift durch eine Metropole der
verwalteten Welt und kompen-
siert mit innerer Fantasietätig-
keit die äußere Ereignisöde sei-
nes Angestelltendaseins.

Ein Regenschirm für diesen Tag
Roman

ISBN 978-3-423-**13072**-1

Geld verdienen kann man mit
den unterschiedlichsten Tätig-
keiten. Zum Beispiel, indem
einer seinem Bedürfnis nach
distanzierter Betrachtung der
Welt folgt; als Probeläufer für
Luxushalbschuhe.

Eine Frau, eine Wohnung, ein Roman
Roman

ISBN 978-3-423-**13311**-1

Weigand will endlich erwachsen
werden und die drei Dinge
haben, die es dazu braucht: eine
Frau, eine Wohnung und einen
selbst geschriebenen Roman.

Fremde Kämpfe
Roman

ISBN 978-3-423-**13314**-2

Da die Aufträge ausbleiben,
versucht sich der Werbegrafi-
ker Peschek auf fremdem
Terrain: Er lässt sich auf kri-
minelle Geschäfte ein …

Die Ausschweifung
Roman

ISBN 978-3-423-**13313**-5

›Szenen einer Ehe‹ vom minu-
tiösesten Beobachter deutscher Alltagswirklichkeit.

Die Obdachlosigkeit der Fische

ISBN 978-3-423-**13315**-9

»Auf der Berliner Straße
kommt mir der einzige Mann
entgegen, der mich je auf
Händen getragen hat. Es war
vor zwanzig oder einund-
zwanzig Jahren, und der
Mann heißt entweder Arnulf,
Arnold oder Albrecht.«
Eine Lehrerin an der Schwelle
des Alterns vergewissert sich
einer fatal gescheiterten
Jugendliebe inmitten einer
brisanten Phase ihres Lebens.

Bitte besuchen Sie uns im Internet: www.dtv.de

Wilhelm Genazino im <u>dtv</u>

»Wilhelm Genazino beschreibt die deutsche
Wirklichkeit zum Fürchten gut.«
Iris Radisch in der ›Zeit‹

Achtung Baustelle
ISBN 978-3-423-**13408**-8

Kluge, ironisch-hintersinnige
Gedanken über Lesefrüchte
aller Art.

Die Liebesblödigkeit
Roman
ISBN 978-3-423-**13540**-5
und <u>dtv</u> großdruck
ISBN 978-3-423-**25284**-3

Ein äußerst heiterer und tief-
sinniger Roman über das
Altern und den Versuch, die
Liebe zu verstehen.

Der gedehnte Blick
ISBN 978-3-423-**13608**-2

Ein Buch über das Beobachten
und Lesen, über Schreibaben-
teuer und Lebensgeschichten,
über Fotografen und über das
Lachen.

Mittelmäßiges Heimweh
Roman
ISBN 978-3-423-**13724**-9

Schwebend leichter Roman
über einen unscheinbaren An-
gestellten, der erst ein Ohr und
dann noch viel mehr verliert.